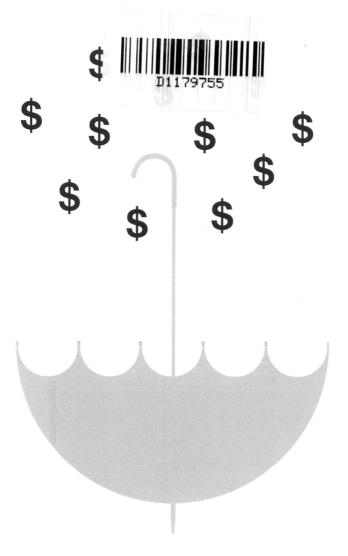

El pequeño libro de los grandes inversores

Albert Albareda y David Galán

El pequeño libro de los grandes inversores

Las mejores citas de los mejores inversores

alienta
EDITORIAL

© Centro Libros PAPF, S.L.U., 2016
Alienta es un sello editorial de Centro Libros PAPF, S. L. U.
Grupo Planeta
Av. Diagonal, 662-664
08034 Barcelona

www.planetadelibros.com

Diseño de cubierta: microbiogentleman.com
Ilustraciones interiores: ©Axier Uzkudun

ISBN: 978-84-16253-51-7
Depósito legal: B. 1.364-2016
Primera edición: febrero de 2016
Preimpresión: Victor Igual, S.L.
Impreso por Egedsa

Impreso en España - *Printed in Spain*

SUMARIO

PRÓLOGO

Estimado lector:
Tiene en sus manos una recopilación de los mejores consejos para invertir en los mercados que nos han legado los maestros de la Bolsa y la inversión durante el paso de sus vidas.

Este libro encierra la sabiduría y la experiencia de varios cientos de traders de reconocido prestigio a nivel mundial, como Warren Buffett, George Soros, André Kostolany o Stan Weinstein.

Para elaborar esta recopilación se ha investigado a más de cien gurús de los mercados a través de entrevistas, libros y revistas de trading.

Le presentamos la mayor recopilación de citas y consejos de Bolsa de los más grandes inversores y personajes históricos de todos los tiempos.

Sus consejos y sabiduría nos ayudarán a reflexionar sobre cómo funciona el mercado y qué debemos aprender de ellos para conseguir el éxito.

Vamos a descubrir sus métodos, su filosofía en la inversión, sus secretos de éxito, la mecánica y el proceso mental que emplean a la hora de operar y mover su dinero.

Aprender de aquellos que ya han ganado en Bolsa es el mejor camino para convertirse en un inversor de éxito. Y es que, como dijo Jesse Lauriston Livermore, uno de los mejores traders del siglo xx, «no existe nada nuevo en la Bolsa. Cualquier cosa que suceda en el mercado hoy, ha sucedido antes y sucederá otra vez».

Esperamos que estas frases le resulten inspiradoras y le ayuden en el proceso de aprendizaje para ganar en los mercados.

ALBERT ALBAREDA
y DAVID GALÁN

CONTENIDO DEL LIBRO

Las páginas que está a punto de leer contienen un compendio de las citas de los mejores inversores, especuladores, traders de parquet, pensadores, filósofos y oradores del mundo, entre ellos algunos motivacionales.

Hemos incluido también, para poner una pequeña nota de humor, citas de grandes cómicos con el afán de que la lectura le resulte más amena. Asimismo, podrá encontrar una serie de dichos populares bursátiles de autores desconocidos.

El libro está ordenado alfabéticamente y puede encontrar al final del mismo un índice onomástico, en el que se listan, en ese mismo orden, los nombres de los autores de las citas así como la página o las páginas en las que éstas aparecen.

MAESTROS DEL TRADING Y SUS FRASES MÁS CÉLEBRES

Este libro nace de la obsesión del equipo de profesionales de Bolsa General de acercar los mercados financieros a todos los públicos y de remarcar la indudable importancia que tiene la experiencia para lograr el éxito en el parquet. Se puede y se debe aprender de los grandes maestros del trading de todos los tiempos, para intentar evitar los habituales errores que se cometen, especialmente durante los primeros años, mientras se adquiere la experiencia necesaria para poder ganar en los mercados.

Los grandes inversores han demostrado su valía invirtiendo a lo largo de los años. Todos estos inversores, a pesar de invertir a corto o largo plazo, tenían o tienen un estilo de inversión propio, por lo que es posible que veamos que algunas ideas pueden parecer contradictorias. En el libro figuran tanto operadores de bolsa que estudian la situación empresarial para buscar oportunidades en acciones infravaloradas (análisis fundamental) como otros que, como en nuestro caso, estudian la evolución del precio, en busca de pautas identificables y repetitivas que les otorguen las probabilidades a favor (análisis técnico). Sin embargo, todos están de acuerdo en lo básico y llegan a conclusiones similares y reveladoras. Sus mejores consejos de inversión, basados en décadas de experiencia, pueden ayudarnos a entender y comprender el camino del éxito en los mercados financieros.

También aparece un compendio de citas de grandes sabios y oradores con o sin experiencia bursátil, cuya filosofía o consejos pueden aplicarse en la Bolsa y ayudarnos a reflexionar sobre cualidades vitales para el éxito en el negocio de la inversión.

Reflexione y disfrute con las mejores frases célebres de trading.

Hablan los inversores y oradores más sabios.

1. AHRENS, RICHARD

Richard Ahrens comenzó a introducirse en los mercados financieros en 1987. Inició sus investigaciones sobre los mercados en 1990 y en 1991 comenzó a trabajar en el Dallas Traders Group, donde tuvo la oportunidad de intercambiar ideas con veteranos como Greg Morris o John Ring. Finalmente, el Dallas Traders Group se afilió a la MTA, la Asociación del Mercado Técnico, y Richard pudo asistir a seminarios con expertos de análisis técnico como Richard Arms, Ted Todd o Ralph Acampora.

En 2000, inventó un nuevo método de cálculo de las medias móviles, en 2006 creó el Trend Strength Oscillatory y en 2009 comenzó a trabajar en un programa informático para dibujar líneas de tendencia en los gráficos de precios.

Hacer trading para ganar no es una actividad que esté llena de glamour ni que sea excitante. El objetivo del trader es preservar el capital mediante la minimización de las pérdidas y hacer pequeñas pero constantes operaciones ganadoras para continuar acumulando capital.

2. ALLEN, MARTY

Morton David Alpern, Marty Allen (n. Pittsburgh, Pennsylvania, 23 de marzo de 1922) es un reconocido actor cómico estadounidense, veterano de la segunda guerra mundial. Ha trabajado como cabeza de cartel en clubes nocturnos y como actor dramático en televisión. En 2014 publicó el libro autobiográfico *Hello Dere!: An Illustrated Biography*. En marzo de 2015 volvió a actuar en Las Vegas y celebró su 93º cumpleaños con un espectáculo. Se ha convertido en un icono de la comedia tras siete décadas de trabajo.

Cualquier estudio económico generalmente revela que el mejor momento para comprar algo es el año pasado.

3. APPEL, GERALD

Gerald Appel es un gestor de fondos estadounidense con cuarenta años de experiencia. Además es autor o coautor de más de quince libros, así como de numerosos artículos relacionados con las estrategias de inversión. En 1979 diseñó el conocido indicador MACD (Moving Average Convergence Divergence).

Dedica tus energías a la creación de unos buenos indicadores, en vez de intentar predecir el movimiento del mercado, y de esta forma podrás conseguir sobrevivir.

—

No existe forma de poder testear tus reacciones emocionales y decir: bien, en este estado mental, ¿cuál habría sido mi siguiente paso?

4. ARMS, RICHARD W.

Richard W. Arms lleva casi medio siglo como trader y escribiendo sobre los mercados financieros. Conocido por inventar el indicador Arms Index o TRIN (1967), sus otras contribuciones importantes incluyen Equivolume Charting, Ease of Movement, Volume Adjusted Moving Averages, Volume Cyclicality y una serie de indicadores basados en el volumen. Estas herramientas son reveladas y explicadas en sus seis libros, el más reciente titulado *Stop and Make Money*.

Arms asesora a un selecto grupo de instituciones. También escribe una columna bisemanal para TheStreet.com.

Después de tener unos cuantos revolcones al comprar acciones, tras las recomendaciones del departamento de investigación de la compañía donde trabajaba, recomendaciones de grandes y sólidos títulos con grandes perspectivas y con unos productos comerciales excelentes, empecé a pensar que la relación entre las cotizaciones bursátiles y los fundamentales de las acciones era bastante irrelevante.

—

Me doy cuenta de que no soy capaz de procesar toda la información que se genera sobre una acción, así que no me intereso por ninguna información salvo del volumen y el precio.

5. ASPRAY, TOM

Tom Aspray es un operador profesional, analista y editor de MoneyMentor.com. Escribe la columna diaria «Chart in Play» y la columna ampliamente seguida «Week Ahead», desde la que comparte su punto de vista técnico y ayuda a formar a traders e inversores. Aspray lleva más de treinta años escribiendo sobre los mercados financieros y se le considera un pionero en el análisis técnico informatizado; muchos de los indicadores técnicos sobre los que escribió en los años 1980, como el MACD, han ganado aceptación mundial. Como orador y conferenciante, ha impartido charlas en todo el mundo y ha proporcionado su análisis a las principales instituciones financieras mundiales. Fue reconocido por *The Wall Street Journal* como uno de los «mejores técnicos del mercado de bonos».

Gann, Elliott, RSI, estocásticos, medias móviles. No existe una única receta que todo el mundo utilice. El análisis técnico es un campo tan amplio y existen tantos abanicos que no creo que lleguemos nunca a un punto de saturación.

6. BABCOCK, BRUCE

Bruce Babcock (n. Nueva York). Abogado y máster en administración y dirección de empresas (MBA), durante trece años trabajó como fiscal, cargo que compaginó con la docencia en derecho. Pero un día descubrió su verdadera vocación y se convirtió en trader. En 1979 abandonó totalmente la abogacía para centrarse en los mercados. En 1983 se involucró en la creación de la revista *Commodity Traders Consumer*, de evaluación de sistemas y resultados de trading.

Es autor de varios libros sobre trading, entre los que destacan *The Business One-Irwin Guide to Trading Systems* y *Trendiness in the Futures Markets*.

En realidad, usted no puede predecir los mercados, nadie puede hacerlo. Lo bueno es que, afortunadamente, no lo necesitamos.

Ningún experto ni sistema de trading se librará de tener cinco, seis o incluso diez operaciones consecutivas con pérdidas. Si no estás preparado psicológicamente para soportar estos *drawdowns*, te vas a pasar el resto de tu vida cambiando de sistema de trading.

———

Un secreto raramente mencionado sobre el trading en futuros es que la mayoría de lo que está en los libros (lo que se denomina sabiduría popular), la mayoría de lo que compone el análisis técnico, no funciona. Si usted hace la prueba, verificará que no funciona.

———

No asuma que dado que algo está en un libro publicado por alguien famoso ese algo va a funcionar.

———

Mi apuesta sobre la operativa de la mayoría de la gente es que ganarían más dinero si utilizaran períodos de tiempo más amplios.

———

La verdad es que no existe un orden verdadero en los mercados.

———

El buen trading es algo mecánico y, por lo tanto, aburrido y poco creativo. La única parte que verdaderamente nos puede estimular es aquella en la que ganamos grandes sumas de dinero y, desafortunadamente, mediante una buena operativa las grandes ganancias vendrán en períodos muy cortos.

———

Una vez que hemos elegido nuestro sistema y nuestra cartera de acciones, se acabó la labor intelectual y empieza la labor de actuación de forma mecánica.

———

El trading que nos conduce al éxito tiene tres elementos fundamentales y todos son igual de importantes: el primero es el sistema o método a emplear, el segundo es la cartera de mercados seleccionada y el tercero es la disciplina que debe seguirse con las órdenes del sistema.

7. BACON, LOUIS

Louis Moore Bacon (n. Raleigh, Carolina del Norte, 1956) es un economista, empresario y gestor de *hedge funds* e inversor que utiliza una estrategia global especulativa (influenciado por Paul Tudor Jones o George Soros) para invertir en los mercados financieros.

Considerado uno de los cien grandes inversores del siglo XX, es el presidente y fundador (1989) de Moore Capital Management, una importante firma de gestión de *hedge funds* con sede en Nueva York. Su fondo insignia, Moore Global Investments, ha logrado una rentabilidad anual tras comisiones del 31 por ciento.

Con un patrimonio estimado en 1.810 millones de dólares, según la revista *Forbes*, se encuentra entre las cuatrocientas mayores fortunas de Estados Unidos.

Como especulador, debes abarcar el desorden y el caos.

8. BALDWIN, TOM

Lucien Thomas, Tom, Baldwin III, experto negociador de contratos de futuros sobre bonos, es director de Bruckmann Rosser Sherrill & Co., LLC. Comenzó su carrera en Bolsa en 1982 con 20.000 dólares y hoy tiene una fortuna estimada en 50 millones de dólares. Fue capaz de sobrevivir a un accidente de avión junto a sus hijos gracias a sus habilidades de supervivencia.

Lo que separa al 1 por ciento del otro 99 por ciento es una cantidad ingente de esfuerzo. Es perseverancia. Te tiene que gustar hacerlo.

——

Los mejores traders no tienen ego. Para ser un buen trader debes tener una gran confianza en ti mismo. No puedes dejar que el ego interfiera en el camino de una operación perdedora, debes aprender a tragarte tu orgullo y continuar con tu operativa de trading.

9. BALSARA, NAUZER J.

Nauzer J. Balsara, doctorado en Finanzas por la Universidad de Columbia, en Nueva York, e autor del libro *Money Management Strategies for Futures Traders*, publicado en 1992. En este libro Balsara nos explica que la administración del dinero es un factor clave en el éxito del trader. Asimismo, ofrece una amplia variedad de estrategias prácticas y valiosas para limitar los riesgos, evitando pérdidas catastróficas, y de gestión de la cartera de futuros para maximizar las ganancias.

Como regla general a tener presente: a mayor adversidad inesperada, mayor será la cicatriz psicológica en el trader, mayor el período de duda y mayor también la pérdida de confianza.

Siempre es tentador ignorar el riesgo y concentrarnos exclusivamente en los beneficios. Un buen trader no debería de caer en esta trampa. No existen garantías de éxito en ninguna estrategia de trading con futuros y cualquier método basado en la esperanza y no en el realismo tiene todos los números para fracasar.

—

A menudo se dice que la única forma que tenemos de evitar la ruina en los mercados es mediante la cruda experiencia. Habiendo sufrido esta experiencia alguna vez, el trader sabe de primera mano lo que causó el desastre y la forma para evitarlo. En ausencia de esta experiencia directa, la mejor forma de evitar la ruina es elaborar un plan de actuación que contemple en todos sus puntos los riesgos y probabilidades de ruina.

—

Un trader se podría convencer a sí mismo de que una serie de operaciones perdedoras serán financiadas por operaciones ganadoras generadas por el mismo sistema. Sin embargo, esto podría quedarse en un bonito deseo. No tenemos garantía de que el sistema genere dinero para recuperar las pérdidas anteriores. Por esta razón, es imprescindible operar con una cartera diversificada.

—

En ausencia de esta experiencia directa, la mejor forma de evitar la ruina es elaborar un plan de actuación que contemple en todos sus puntos los riesgos y probabilidades de ruina.

———

La capacidad para asumir el riesgo estará muy relacionada con la capacidad de asimilar el dolor de las pérdidas por parte del trader. Una persona extremadamente adversa al riesgo será incapaz de asumir el mismo, a pesar de contar con el suficiente capital. En el otro extremo, un inversor amante del riesgo podría estar asumiendo unos riesgos muy por encima de sus posibilidades.

———

El concepto de la diversificación está basado en la premisa de que las habilidades de predicción del trader son limitadas. Por lo tanto, es más seguro apostar en diferentes activos simultáneamente que apostar todo a la misma carta.

———

La elaboración de una cartera diversificada reduce la variabilidad de los posibles resultados. Esto se consigue, básicamente, reduciendo la probabilidad de ocurrencia de operaciones con grandes pérdidas y de operaciones con grandes ganancias.

10. BARNA, MIKE

Michael L. Barna es el fundador y presidente de Trading System Lab. Es licenciado en Matemáticas por la Universidad Estatal de Arizona y máster en Ingeniería Aeronáutica y Aeroespacial por la Universidad de Stanford. Fue capitán de una importante compañía aérea y jugador de balonmano. Ha desarrollado sistemas de trading para muchas plataformas de negociación, entre ellas TradeStation. Sus trabajos han sido publicados en numerosos libros y revistas de trading. Su sistema de trading está clasificado como uno de los Top Ten de todos los tiempos, según el libro *The Ultimate Trading Guide*.

El desarrollo de un sistema de trading para acciones es mucho más complejo que el de un sistema de trading para futuros. Para desarrollar un sistema con futuros sólo vas a necesitar una serie histórica de datos. Por el contrario, con las acciones necesitas trabajar con cientos de series, cada una de ellas mostrando características propias.

11. BARR, DEAN S.

Dean Sherman Barr es experto en inversiones mediante sistemas de trading basados en inteligencia artificial. Es socio director y cofundador en 2009 de Foundation Capital Partners. Director de Southgate Alternative Investments, trabajó durante cinco años en el Deutsche Bank y tiene varias décadas de experiencia en gestión de inversiones.

Lo que hace que un trader o inversor sea bueno en su forma de operar es la habilidad para ver que las reglas del juego están cambiando y ser capaz de cambiar con ellas. Los mercados nunca están equivocados. Debemos interiorizar la idea de que el mercado siempre hace lo correcto.

No tenemos que confiar en ningún indicador ni ninguna causa-efecto para ganar dinero; estos factores cambian con el tiempo, ya que los mercados tienen una forma muy peculiar de hacer que lo que funcionó en el pasado deje de funcionar y viceversa. La tecnología de redes neuronales se adapta a los continuos ajustes del mercado y nos muestra los factores de causa y efecto de forma adaptativa, actuando de forma inmediata sobre estos cambios a medida que aparecen.

———

En la universidad me enseñaron la teoría de la eficiencia de los mercados y realmente llegué a creer en su validez. Sin embargo, rápidamente aprendí tras mi experiencia operando que, a pesar de la contundencia teórica del principio, se difumina rápidamente en la práctica.

———

Concretamente, los mercados permanecen en tendencia sólo el 25-30 por ciento del tiempo y este porcentaje tiende a reducirse, no a incrementarse. Esto no invalida los modelos seguidores de tendencia, pero nos obliga a tener que identificar si estamos en un mercado de tendencia o un mercado lateral.

———

No es necesario construir una red neuronal
con doscientos inputs. Tras muchos años
de experiencia puedo decir que cuanto más simple
sea la estructura de la red, mejores resultados
obtendremos en el mercado.

12. BARRETT, CRAIG R.

Craig R. Barrett (n. 29 de agosto de 1939), ejecutivo estadounidense, fue consejero delegado de Intel Corporation desde 1998 hasta 2005 y presidente de su consejo hasta su retirada en 2009.

Licenciado en Ciencias, máster en Ciencias y doctorado por la Universidad de Stanford en Ciencia de Materiales, tras retirarse de Intel, se unió a la Thunderbird School of Global Management en Glendale, Arizona, y a la SSP Board of Trustees. Participa en numerosas iniciativas e instituciones educativas para impulsar la formación tecnológica.

Los analistas son historiadores que predicen el pasado.

13. BARUCH, BERNARD

Bernard Mannes Baruch (n. Camden, Carolina del Sur, 19 de agosto de 1870-† Nueva York, 20 de junio de 1965) fue un inversor estadounidense, filántropo y asesor político.

Se hizo rico antes de los treinta años gracias a la especulación con el azúcar. En 1910 era una de las figuras más destacadas y conocidas de Wall Street. En 1916 abandonó los negocios para convertirse en asesor del presidente Woodrow Wilson y posteriormente de Franklin D. Roosevelt.

¿Qué hace que unas simples apuestas se conviertan en ludopatía rampante? La desesperación del que tiene grandes pérdidas es uno de los factores.

━━━

El principal obstáculo consiste en guardar las distancias con nuestras emociones.

━━━

Confórmate con un porcentaje del movimiento del mercado.

—

Los precios de las acciones, las *commodities* y las obligaciones se ven afectados por prácticamente todas y cada una de las cosas que ocurren en el mundo. Lo que registran esos precios no son los propios acontecimientos, sino las reacciones humanas a esos acontecimientos; la forma en que, a juicio de millones de personas, esos acontecimientos van a influir en el futuro.

—

No espere tener razón todo el tiempo. Si ha cometido un error, limite sus pérdidas lo más rápidamente posible.

—

Muéstrame los gráficos y te diré las noticias.

—

La verdad, lisa y llana, es que no hay nada «seguro» en el mercado.

—

Mantén una opinión sobre lo que va a hacer el mercado, pero no decidas sobre lo que el mercado hará.

—

Un especulador es aquel que observa el futuro y actúa antes de que ocurra.

———

Un operador cualificado en cualquier campo adquiere una «capacidad sensorial» prácticamente instintiva que le permite captar muchas cosas, aunque no sea capaz de explicarlas.

———

No especule, salvo que pueda convertir esa actividad en un trabajo exclusivo.

———

Nunca le eches la culpa a nadie por tus errores y fracasos.

———

El objetivo principal de la Bolsa de valores es dejar en ridículo a tantos hombres como sea posible.

———

Nunca sigas a la multitud.

———

Nunca perdí dinero al obtener una ganancia.

14. BASSO, TOM

Thomas F., Tom, Basso es un extrader de materias primas, fundador y presidente de Trendstat Capital Management, Inc., empresa que gestiona más de 65 millones de dólares para trescientos clientes en todo el mundo. Retirado de la negociación activa, en la actualidad es miembro del consejo asesor de Blackstar Funds, LLC. Es autor de dos libros, *Panic-Proof Investing* y *The Frustrated Investor.*

Piensa en cada operación que haces como una más de las próximas mil operaciones que vas a hacer. Si eres capaz de pensar en términos de las siguientes mil operaciones, el resultado de la operación actual será más fácil de asimilar. ¿A quién le preocupa si la operación actual es ganadora o perdedora? Se trata de una operación más.

Cuando uno empieza a concentrarse en los beneficios y las pérdidas, tendemos a sentirnos eufóricos si estamos ganando dinero y frustrados si vamos perdiendo. Este elevado nivel emocional nunca es buen compañero y debemos concentrarnos en el proceso, en nuestra operativa y no en el dinero.

—

La entrada es probablemente el elemento menos importante de mi trading. Pretendo entrar en el mercado cuando hay un cambio de tendencia. En ese mismo instante —cuando cambia la tendencia— la ratio riesgo-beneficio es la mejor que habrá durante el resto de la vida de la operación.

—

El inversor amateur se preocupa por las señales de compra y de venta, por definir si se trata de un movimiento alcista o bajista, en lugar de preocuparse por cuánto riesgo está dispuesto a correr en la siguiente operación y qué parte de su capital total debe exponer en ella.

—

Creo que la psicología de inversión es de lejos el elemento más importante, seguido por el control de riesgos, y como menos importante está la consideración de dónde comprar y vender.

—

Cuanto mejor comprenda el concepto con el que está operando y cómo se comporta en las más diversas condiciones del mercado, menos ensayos históricos deberá realizar.

—

Siempre he querido dedicar poco tiempo al trading y el máximo tiempo posible a diseñar mi estrategia y a desarrollar nuevos sistemas.

—

Cuando empecé a operar, me movía con unos cuantos contratos de maíz y acabé perdiendo dinero. No tenía ninguna estrategia de gestión monetaria ni de gestión de riesgo, ni tenía la menor idea de lo que realmente estaba haciendo. He pasado por un largo período de evolución, cometiendo innumerables errores a lo largo del recorrido y pagando lo que considero como la matrícula de la Universidad del Trading.

—

Un sistema de especulación responde a la pregunta de qué y cuándo comprar o vender, pero no nos dice nada sobre cuánto debemos comprar o cuánto debemos vender.

—

Mi *stop* está en función del mercado y de lo que éste esté haciendo. Está relacionado con el riesgo sólo de forma indirecta, a menos que el riesgo sea tan grande que me impida iniciar una operación.

———

Yo no limito la cantidad de beneficio que pueda obtener en una operación. Mi filosofía es dejar que corran los beneficios. Si en cualquier momento me encuentro con una operación que se mueve en la dirección que me conviene, nunca salgo. ¡Tanto mejor!

15. BERNSTEIN, PETER

Peter Lewyn Bernstein (n. Nueva York, 22 de enero de 1919-† íd., 5 de junio de 2009) fue un historiador financiero, economista y educador estadounidense. Tras dieciséis años trabajando en la firma Bernstein-Macauley, Inc., de la que su padre era cofundador, en 1973 fundó su propia empresa, Peter L. Bernstein, Inc. Escribió varios libros, entre ellos *The Power of Gold: The History of an Obsession* y *Capital Ideas: The Improbable Origins of Modern Wall Street*.

La ley fundamental de la inversión es la incertidumbre.

La teoría de juegos dice que la verdadera fuente de incertidumbre está en las intenciones de los demás.

16. BIGGS, BARTON

Barton Michael Biggs (n. Nueva York, 26 de noviembre de 1932-† Greenwich, Connecticut, 14 de julio de 2012). Trabajó como socio en Morgan Stanley durante más de tres décadas. Tras su retirada, en 2003 fundó el fondo de cobertura Traxis Partners.

Saltó a la fama por haber pronosticado el estallido de la burbuja de las puntocom a finales de los años 1990. Durante su larga trayectoria profesional escribió varios libros, entre ellos *Wealth, War, and Wisdom*.

Probablemente el principal problema intelectual con el que se enfrenta un inversor es el constante bombardeo de ruido y charlatanería. El ruido es información extraña, que a corto plazo es aleatoria y básicamente irrelevante para la toma de decisiones de inversión. La charlatanería son los comentarios u opiniones de los que tienen buenas intenciones, esas atractivas cabezas parlantes que abundan. La tarea monumental que un inversor serio tiene que realizar es destilar esta masa abrumadora de información u opiniones y extraer de ello conclusiones de inversión.

—

No existen relaciones o ecuaciones que siempre funcionen. Las soluciones cuantitativas y las ecuaciones de asignación de activos fracasan invariablemente debido a que están diseñadas para capturar lo que ha funcionado en un ciclo anterior, mientras que el próximo ciclo sigue siendo un acertijo envuelto en un enigma.

—

Nos olvidamos de que el señor Mercado es un sádico ingenioso y que se deleita en torturarnos de diferentes maneras.

—

Creo que un diario de trading es un paso en la dirección correcta para hacer frente a las presiones, para llegar a conocerte a ti mismo y mejorar nuestro comportamiento en la inversión.

17. BLACKMAN, MATTHEW

Matthew Blackman es un operador técnico CMT, autor y orador. Ha sido colaborador habitual en medios financieros como MarketWatch, CBS o Reuters.

Ninguna operación es una garantía de éxito. Muchos operadores novatos pasan un mal momento cuando descubren la diferencia entre probabilidad y certeza. El hecho de que, por ejemplo, un triple techo haya producido caídas de precios en el pasado no significa que se vayan a producir en el futuro, lo único que nos indica es que la probabilidad de caída es elevada.

—

El entendimiento de lo que pasa por la mente de los inversores y lo que les motiva en cada uno de los patrones técnicos ayuda a los operadores a entender por qué los patrones técnicos funcionan.

18. BOGLE, JACK

Jack Bogle (n. Montclair, Nueva Jersey, 1929). En 1974 fundó la compañía de fondos de inversión Vanguard Group y la convirtió en una de las más reputadas del mundo. Es presidente del Bogle Financial Markets Research Center. En 1999 *Fortune Magazine* lo consideró uno de los cuatro gigantes de la industria de la inversión del siglo xx y en 2004 la revista *Time* lo incluyó en la lista de las 100 personas más poderosas e influyentes del mundo. Su libro *Common Sense on Mutual Funds* fue un éxito de ventas.

Si usted tiene problemas imaginando una pérdida del 20 por ciento en el mercado accionarial, no debería invertir en acciones.

—

El tiempo es tu amigo, el impulso es tu enemigo.

19. BOLLINGER, JOHN

John A. Bollinger (n. 1950) es fundador y presidente de Bollinger Capital Management, sociedad de asesoría en inversiones a partir del análisis técnico de los mercados. Colaborador en la CNBC y en numerosos medios económicos estadounidenses. Es el creador de las Bandas de Bollinger, uno de los indicadores más populares del análisis técnico. Su libro *Las Bandas de Bollinger* ha sido traducido a once idiomas.

Sin lugar a dudas, la psicología de los partícipes del mercado es la variable más importante. No es suficiente con comprar una acción que está barata o que tiene un buen aspecto técnico. El resto de las personas, la masa, tiene que ver también lo que vemos nosotros, y en esa transición de la masa de rechazar una acción a querer poseerla es donde realmente está el dinero.

—

Puede haber períodos de tiempo en que un sistema funcione bien, pero inevitablemente llegará un momento en que lo haga de forma mediocre o que no funcione en absoluto. Puede haber muchos mercados en los que sea efectivo, del mismo modo que no lo será en otros.

———

Las emociones son el peor enemigo del inversor. ¿Nunca ha vendido usted durante un pánico de ventas? ¿Nunca ha tenido miedo de quedar capturado en un mercado bajista o de perderse la próxima gran subida de precios? El análisis racional puede ayudarle a evitar estas trampas dándole una base razonable para tomar decisiones plenamente informadas. Entonces, en lugar de ser un miembro de la multitud, bamboleado por la avaricia y el temor y repitiendo los mismos errores una y otra vez, podrá mantener a flote la cabeza, como un inversor que actúa en función de sus propios intereses.

———

Para tener éxito los inversores deben aprender a pensar por sí mismos. Esto es así porque son individuos únicos con objetivos diversos y criterios diferentes de riesgo-beneficio.

———

La existencia de tendencias da la validez a los sistemas seguidores de tendencia, como las técnicas que utilizan medias móviles. Sin embargo, nunca he encontrado estos métodos útiles para operar con acciones. Son muy valiosos para ganar dinero en mercados con claras tendencias como los de *commodities* o los de divisas. Respecto a los mercados de acciones, siempre he encontrado mejores resultados en los sistemas de patrones de precios, o de figuras de vuelta.

20. BOOKER, ROB

Rob Booker es un trader y *coacher* estadounidense, considerado uno de los mejores instructores de trading del mundo. Es autor de siete libros entre los que cabe destacar *Adventures of a Currency Trader* y el e-book *Forex Strategy 10: Low Risk/High Return Currency Trading*, el e-book más descargado en la historia del Forex.

Fue uno de los doce operadores entrevistados por Kathy Lien y Boris Schlossberg para el libro *Millionaire Traders*, en el que se plasman sus experiencias en la búsqueda de la consistencia en el trading.

El trading es un juego de supervivencia. Si proteges tu capital, siempre estarás vivo para hacer trading otro día.

—

Para mí el buen trading consiste en primer lugar en no perder dinero, y luego, en segundo lugar, simplemente en conseguir beneficios semana a semana.

—

Me esfuerzo al máximo para no perder dinero, ésa es mi primera preocupación; cuidar nuestro capital de inversión es lo más importante, porque es nuestra herramienta de trabajo, sin ella no podemos continuar en el juego.

—

El objetivo primordial para mí es proteger la cuenta; todo lo que tengo que hacer después de eso es ganar dinero cada semana e incrementar la cuenta poco a poco.

21. BRADFORD RASCHKE, LINDA

Linda Bradford Raschke, presidenta de LBR Group, Inc., es una trader con más de treinta años de experiencia. Comenzó su carrera profesional en 1981 en los mercados de opciones. Desde 1992 es commodity trading advisor (CTA). Ha operado en varios fondos y en 2002 creó su propio *hedge fund*, que se clasificó como el 17º con mejor resultado de 4.500 durante cinco años.

Es coautora, con Laurence A. Connors, de *Street Smarts: High Probability Short Term Trading Strategies*. Además, ha aparecido en decenas de publicaciones financieras y en programas de radio y televisión y ha impartido numerosas conferencias. También fue presidenta de la American Association of Professional Technical Analysts.

Uno de mis patrones preferidos es cuando el mercado se mueve de máximos relativos a mínimos relativos y viceversa en cuestión de dos o cuatro días. Este patrón es una función de la psicología humana. Se necesitan varios días de rally antes de que se vea realmente muy bien. Ahí es cuando todo el mundo quiere comprar, y ése es el momento en que los profesionales, como yo, están vendiendo. A la inversa, cuando el mercado ha estado bajando durante unos días, y todo el mundo es bajista, es el momento en que me gusta comprar.

—

No hay que ser un genio para ser un trader. De hecho, muchos de los mejores traders que conocí en los parquets eran antiguos surferos. La verdad es que los estudios parecían no tener mucho que ver con el éxito en el trading.

De repente, descubrí que podía perder 80.000 dólares en una noche.

—

No me pongo objetivos de precios. Salgo cuando el mercado me dice que es hora de salir... Tienes que estar dispuesto a tomar lo que el mercado te da. Si no te da mucho, no puedes dudar en salir con una pequeña ganancia.

—

Para mí la operación ideal dura diez días, pero me aproximo a cada una como si fuera a durar dos o tres días.

22. BRANDT, PETER

Peter Brandt entró en el negocio del trading en 1976 con ContiCommodity Services. En 1980 fundó Factor Trading Co., empresa de la que se retiró en 1995 para trabajar en fines sin ánimo de lucro. En 2007 volvió a operar en los mercados financieros.

Uno de los grandes problemas de los inversores y especuladores iniciados es que, una vez que han tomado una posición en el mercado, también toman una posición respecto a su forma de pensar; crean una opinión sobre lo que debería de hacer el mercado y todo aquello que refuerza nuestra opinión es ciegamente aceptado y todo aquello que va en contra es rechazado. Todo trader debe aprender a tomar posiciones, no a formular opiniones.

23. BROOKS, AL

Al Brooks es trader, analista técnico, autor y colaborador de la revista *Futures*. Graduado en medicina por la Universidad de Chicago, cambió la cirugía ocular por la especulación para ser day trader, especializándose en la acción del precio.

Como formador de traders imparte cursos y material de aprendizaje desde su web brookspriceaction.com. Es autor de los libros *Reading Price Charts Bar by Bar: The Technical Analysis of Price Action for the Serious Trader* y *Trading Price Action*, entre otros.

Todo tiene sentido. Si sabes leer la acción del precio, nada te sorprenderá porque entenderás lo que está haciendo el mercado. Los principiantes lo pueden observar en una gráfica impresa al final del día. El objetivo es aprender a leerla suficientemente rápido para poder comprender lo que está sucediendo en tiempo real.

Simplemente entender la acción del precio no es suficiente para convertirte en un trader de éxito. Debes aprender cómo tomar las mejores operaciones y seguir tus reglas.

———

El trading es un trabajo, y si esperas ganar dinero, necesitas un plan de trabajo, como lo necesitarías para cualquier negocio, y debes seguir este plan.

———

No conviertas el mercado en un casino, porque ese tipo de matemáticas es implacable e imparable y te destruirá.

———

No operes basándote en lo que crees que debería estar pasando. Sólo opera lo que realmente está pasando, aunque parezca imposible.

———

En el trading, basar una operación creyendo que el mercado ha «recorrido demasiado» y ya le toca una corrección es un enfoque perdedor. Las tendencias pueden llegar mucho más lejos de lo que la mayoría de los traders podrían llegar a imaginar.

———

Si operas contra tendencia, estás apostando, y aunque
vas a ganar muchas veces y a divertirte,
las matemáticas están en tu contra, y lentamente pero
con certeza vas a perder.

▬

No vas a ganar dinero en el largo plazo hasta que no
sepas lo suficiente de tu personalidad para encontrar el
estilo de trading que te es compatible. Necesitas ser
capaz de poder seguir tus reglas confortablemente,
permitiéndote entrar y salir de tus operaciones con
poca o ninguna incertidumbre o ansiedad. Una vez
domines un método de trading, si sientes estrés
mientras operas, es que no has encontrado tu estilo o a
ti mismo.

▬

No ganarás dinero hasta que no empieces a hacer
operaciones a favor de la tendencia en las correcciones.

24. BRUCE, KEVIN

Siendo prácticamente un desconocido en el mundo del trading, Kevin Bruce ganó una fortuna de 100 millones de dólares sirviéndose de la tendencia como arma principal. Bruce trabajó como trader en los mercados de futuros de dos bancos antes de formar su propia compañía, Strategic Capital Corp. Lleva una vida austera y discreta, alejada de los focos mediáticos.

Yo no podría analizar veinte mercados utilizando el análisis fundamental y pretender ganar dinero. Una de las razones por las que el seguimiento de tendencia funciona es porque no tratas de llegar a la explicación de los movimientos. Intentamos seguir la tendencia y no predecir los movimientos del mercado.

25. BUFFETT, WARREN

Warren Edward Buffett (Omaha, 30 de agosto de 1930), apodado el Oráculo de Omaha, está considerado uno de los mayores inversores del mundo. Cuenta con una fortuna personal estimada en 63.000 millones de dólares, conseguida gracias a Berkshire Hathaway, empresa de la que es director ejecutivo. En 2015 ocupaba la tercera posición en la lista de los hombres más ricos del mundo según la clasificación de la revista *Forbes*, por detrás de Bill Gates y Carlos Slim.

Un inversor necesita hacer muy pocas cosas bien si evita grandes errores.

—

El tiempo es amigo de los buenos negocios y enemigo de los mediocres.

—

Gran parte del éxito se puede atribuir a la inactividad. La mayoría de los inversores no puede enfrentarse a la tentación de comprar y vender constantemente.

———

Comprar títulos, acciones de empresas, tomarse unas pastillas para dormir durante 20/30 años, y cuando uno despierta... *voilà*, es millonario.

———

El precio es lo que pagas. El valor es lo que recibes.

———

Céntrese en el retorno de la inversión, no en las ganancias por acción.

———

La regla número uno es no perder dinero nunca, y la segunda, no olvidar la regla número uno.

———

No tome los resultados anuales demasiado seriamente. En su lugar céntrese en promedios de cuatro o cinco años.

———

Recuerde que el mercado de valores es maníaco-depresivo.

———

Compre un negocio, no alquile la acción.

———

Parece existir una perversa característica humana a la que le gusta hacer difíciles las cosas fáciles.

———

Si los mercados fueran eficientes, yo estaría pidiendo caridad en la calle.

———

Hay que ser codicioso cuando los demás son miedosos y miedoso cuando los demás tienen los ojos inyectados de codicia.

———

La razón más tonta del mundo para comprar una acción es porque está subiendo.

———

El verdadero inversor es aquel que desea que las acciones que lleva de una empresa bajen, para poder comprarlas más baratas.

———

A menos que puedas ver tus acciones caer un 50 por ciento sin que te cause un ataque de pánico, no deberías invertir en el mercado bursátil.

———

Usted ni tiene razón ni se equivoca porque la muchedumbre discrepe con usted. Usted tiene razón porque sus datos y razonamientos son correctos.

—

No intente predecir la dirección del mercado de valores, de la economía, de los tipos de interés o de las elecciones.

—

Nunca invierta en negocios que usted no pueda entender.

—

Compre compañías con buen historial de beneficios y con una posición dominante en el negocio.

—

El optimismo es el enemigo del comprador racional.

—

Le diré cómo hacerse rico: cierre las puertas. Sea temeroso cuando otros son codiciosos, sea codicioso cuando otros son temerosos.

—

Las previsiones te dirán muchas cosas sobre quién las hace, pero no te dirán nada real sobre lo que pasará en el futuro.

—

No es necesario hacer cosas extraordinarias para conseguir resultados extraordinarios.

—

El riesgo viene de no saber lo que estás haciendo.

—

Pon todos tus huevos en una cesta, pero vigila la cesta de cerca.

—

Una encuesta de opinión pública no es sustituto del pensamiento.

—

Siempre supe que iba a ser rico. Creo que no lo dudé ni por un minuto.

—

Yo nunca intento ganar dinero en el mercado de acciones. Compro suponiendo que ellos podrían cerrar el mercado mañana y no reabrirlo en cinco años.

—

La mayoría de personas se interesa por los mercados bursátiles cuando ya hay mucha gente en este mercado. Deberíamos entrar cuando el número de personas interesadas por los mercados sea bajo. Si compramos lo que es muy popular no ganaremos dinero.

———

Tenga cuidado con los asesores habladores que llenan su cabeza de fantasías mientras llenan sus bolsillos con comisiones.

———

Las oportunidades aparecen pocas veces. Cuando llueva oro, sal a la calle con un cesto grande y no con un dedal.

Sólo cuando baja la marea se sabe quién nadaba desnudo.

26. CAMPBELL, KEITH

Keith Campbell es el fundador de Campbell & Co., el fondo de materias primas más antiguo de Estados Unidos. El fondo lleva negociando desde 1972 y en la actualidad gestiona para sus clientes aproximadamente 375 millones de dólares y ha logrado una rentabilidad anualizada del 15,1 por ciento. Fue su presidente hasta 1994 y su director general hasta 1998. En la actualidad es presidente de su consejo de administración.

Su filosofía de trading se basa en el seguimiento de las grandes tendencias, aunque ha ido diversificando en diversos plazos temporales. Es un reconocido defensor del medioambiente, a través de su fundación, The Campbell Foundation.

Nosotros somos seguidores de tendencia, no creadores de tendencia. En el comienzo o la finalización de grandes movimientos podríamos incrementar o reducir el movimiento, aunque sería un efecto temporal y superficial. Los sistemas de seguimiento de tendencia son todos, básicamente, iguales, y la diferenciación la encontramos en los diferentes parámetros, lo que diferencia unos sistemas de otros. Si todos fueran iguales, el efecto sobre los mercados sería devastador.

———

Una cosa es desarrollar estrategias ganadoras, pero otra muy distinta es superar sus dudas durante los momentos difíciles y pegarse a sus armas.

27. CÁRPATOS, JOSÉ LUIS

José Luis Cárpatos cursó estudios de Ciencias Empresariales. A principios de la década de 1990, tras quince años, abandonó su trabajo en la banca, en la que desempeñó cargos de responsabilidad, para dedicarse a la especulación profesional.

En 1998 inició sus actividades en internet como analista a muy corto plazo, algo que nadie antes había hecho en España. Ha sido y es colaborador de numerosos medios de comunicación —radio, prensa, internet y televisión—. Fue director de la web sobre inversiones serenitymarkets.com desde 1998 hasta 2013. Ha sido, además, asesor de *hedge funds* y grandes patrimonios en diversos países. Escribe habitualmente y realiza análisis de mercados en estrategiasdeinversion. com. Es autor del libro *Leones contra gacelas. El manual del especulador*, uno de los libros sobre Bolsa más vendidos en España.

La sencillez es un arma decisiva en esta guerra.

—

En unos mercados donde la psicología lo es todo absolutamente, al final el gráfico no es más que una especie de encefalograma medio de los encefalogramas de todos los operadores. En el gráfico están recogidos todos los miedos, todas las euforias. En suma, todos los sentimientos que posee un ser humano.

—

No opere jamás por operar, jamás.

—

Yo divido el mundo bursátil en dos partes: los «leones» y las «gacelas». Los «leones» son los inversores poderosos, aquellos que manejan tanto dinero que pueden llegar a manipular los mercados como quieran. El resto, como usted y como yo, somos las «gacelas», el pequeño inversor, carne fresca de primera calidad pensada para ser devorados por el «león» hambriento.

—

Si usted intenta diseñar sus sistemas automáticos sin saber por qué las bolsas se han movido de una determinada manera, sin saber cómo los mercados cambian constantemente y por qué, se limitará a optimizar una y otra vez una curva de precios, que en cuanto ponga en práctica de verdad no funcionará. Si fuera tan fácil, todo el mundo optimizaría cuatro medias móviles y a vivir que son dos días.

¿Saben para qué sirve calentarse la cabeza estudiando extrañas ondas, extrañas fórmulas, esotéricos estudios? Sirve para conseguir el 10 por ciento de lo que se necesita para salir adelante. Sí, sólo el 10 por ciento. Por ello, es fundamental saber que es diez veces más importante la psicología del trader y el *money management*.

———

Cuando gane, sea humilde y piense que tarde o temprano llegarán las «vacas flacas», por lo que nunca debe envalentonarse.

———

Es imprescindible y es un paso que no se puede obviar, bajo riesgo de perder hasta la camisa, el pasar una etapa de aprendizaje operando sobre el papel y nunca jamás con dinero real.

28. CARR, MICHAEL

Michael Carr, CMT, es asesor de fondos de inversión y analista técnico de los mercados con casi treinta años de experiencia. Excapitán de la Fuerzas Aéreas, la experiencia en el rastreo de instalaciones de misiles nucleares le sirvió de inspiración para desarrollar sistemas de trading cuantitativo en búsqueda de patrones técnicos. Sus artículos han sido publicados en las revistas *Stocks, Futures, and Options* (SFO), *Futures, Traders' Magazine* y *Working Money*. Es autor de *Smarter Investing in Any Economy: The Definitive Guide to Relative Strength Investing*, editor del boletín mensual de la Asociación de Técnicos del Mercado (MTA) y miembro de la junta directiva de la MTA Educational Foundation.

No se preocupe por lo que van a hacer los mercados. Preocúpese sólo por cuál será su respuesta ante el movimiento de los mercados.

29. CARRET, PHILIP L.

Philip L. Carret (n. Lynn, Massachusetts, 29 de noviembre de 1896-† Mount Vernon, Nueva York, 28 de mayo de 1998) fue un inversor estadounidense. Graduado en Harvard, publicó su primer libro en 1930, *The Art of Speculation.* En 1928 fundó Pioner Fund, uno de los primeros fondos de inversión en Estados Unidos.

La mayoría de los inversores actúan de forma optimista por naturaleza y, por lo tanto, muestran un claro sesgo hacia las posiciones largas o compradoras.

30. CASTROVIEJO, CHRISTOPHER R.

Christopher R. Castrovie-
jo es inversor, gestor y filántropo. Licenciado en
Artes por la Universidad
de Harvard y máster en
Ciencias de los Negocios
por la Universidad de Co-
lumbia, fundó y es el principal propietario de Drt
Advisors, LLC, que sirve como socio general de una
sociedad de inversión y proporciona servicios de consultoría a los *hedge funds*. Es director de Directional
Research&Trading y fundador de SmartTraderPro,
dedicada a la consultoría y educación financiera. Asimismo, es accionista y director de Chaikin Analytics,
que ofrece servicios de investigación cuantitativa. Ha
colaborado en numerosos medios de comunicación,
como Bloomberg TV, *The New York Times*, *The Washington Post*, *Business Week* o *The International Herald
Tribune*.

Concéntrese en las estrategias de salida, más que en
los parámetros de iniciación de las operaciones. Las
grandes cantidades de dinero se consiguen
gestionando los riesgos con las salidas.

31. CAVA, JOSÉ LUIS

José Luis Cava (n. Madrid, 1958) se licenció en Ciencias Empresariales por la Universidad Complutense, habiendo estudiado los tres primeros años en el Colegio Universitario de Estudios Financieros (CUNEF). Fue inspector de Hacienda del Estado durante veinticinco años y profesor de la Escuela de Hacienda Pública. Asimismo, trabajó en los departamentos de Inversiones y de Tesorería del Banco Popular. Fundador de bolsacava.com, es analista financiero y ha colaborado con numerosos medios, como *Estrategias de Inversión*, *Intereconomía* o *La Vanguardia*. Es autor de los libros *El arte de especular* y *Sistemas de especulación en Bolsa*.

Los especuladores de éxito se limitan a aplicar de forma recurrente sencillos sistemas de especulación.

Es muy importante conocer el sentido de la tendencia y operar a favor de ella, y conocer cuál es la opinión de la mayoría de los intervinientes en el mercado para no adoptar posiciones justo en un extremo de mercado.

—

Si los titulares de los periódicos son alcistas y reflejan optimismo, probablemente estaremos cerca de un techo, al menos en el corto plazo. Por el contrario, si reflejan pesimismo y miedo, probablemente estaremos ante un suelo, al menos en el corto plazo.

—

Es necesario aceptar las pérdidas sin mortificarse, aplicar los *stops* y cada vez que el sistema falle averiguar la causa por la que lo hizo. El método de la prueba y el error le ayudará a mejorar su sistema.

—

Especular no es cuestión de sentimientos, especular es cumplir con las reglas que hayan sido establecidas previamente. Especular es cuestión de conocimiento y disciplina.

—

La clave del éxito de los grandes especuladores, y por supuesto de los especuladores «intradiarios», es la disciplina.

32. CLAYBURG, JOHN F.

John F. Clayburg, doctor en Medicina Veterinaria, ha estado involucrado en el desarrollo de sistemas de trading automáticos durante más de veinte años. Es el creador y desarrollador de Parallel User Function Technology, una plataforma de software de sistemas e indicadores poco comunes. Autor del libro *Four Steps to Trading Success: Using Everyday Indicators to Achieve Extraordinary Profits*, ha sido ponente en numerosos congresos internacionales de trading.

Cualquiera que esté contemplando la idea de operar con un sistema mecánico, ya sea propio o ajeno, debe familiarizarse con el mismo, antes de lanzarse a operarlo diariamente. Es muy fácil mirar los *drawdowns* y decir que no hay problema en soportarlos; sin embargo, cuando llega el *drawdown* de verdad, la cosa cambia y nos damos cuenta de que no estábamos preparados para semejantes pérdidas.

33. COHEN, STEVEN A.

Steven A. Cohen (n. 11 de junio de 1956) es un especialista en *hedge funds* estadounidense. Fundador de SAC Capital Advisors, un *hedge fund* centrado principalmente en las estrategias de mercado de capitales, en 2015 poseía un patrimonio neto estimado en 12.000 millones de dólares y estaba clasificado por la revista *Forbes* como el 109 hombre más rico del mundo.

El principal error que cometen los traders está en tomar posiciones demasiado grandes con relación a sus carteras. Entonces, cuando las acciones se mueven en su contra, se sienten demasiado dolidos como para controlar la situación y, finalmente, entran en un estado de pánico o shock.

34. COOPER, JEFF

Jeff Cooper empezó en Drexel Burnham en 1981. En 1982 se unió al *hedge fund* de su padre, que abandonó años después para operar en los mercados por su cuenta. Es autor del best seller *Hit and Run Trading* y de otros siete libros sobre trading, cuyas enseñanzas se centran en ayudar a los operadores de corto plazo e intradía.

Nuestro trabajo como traders no es predecir el mercado, sino interpretar los patrones que tienen una ventaja.

—

La clave para comprar y vender de forma rentable es tener un conjunto de reglas simples de compra y de venta que hayan demostrado una ventaja consistente en el pasado.

—

Operar no es un juego de predicción. Es un juego de probabilidades y de identificar una ventaja.

35. D. ELLIS, CHARLES

Charles D. Ellis (n. 1937) es un consultor de inversión líder en Estados Unidos. En 1972 fundó Greenwich Associates, una firma internacional de consultoría estratégica centrada en las instituciones financieras, que dirigió durante tres décadas. En la actualidad es consultor de inversión de grandes patrimonios, de instituciones y organizaciones gubernamentales. Dirige varias pequeñas empresas y preside el Instituto Whitehead para la Investigación Biomédica. Es conocido por su filosofía de inversión pasiva a través de los fondos de índice, que ha publicado en sus numerosos libros, como por ejemplo *Ganar jugando a no perder*.

La razón por la que algunos inversores consiguen beneficios es que implementan políticas y prácticas de inversión acertadas y las aplican con perseverancia. El coste de no ser consecuente con las propias obligaciones puede ser muy elevado.

En el juego del dinero actual participa un formidable grupo de competidores. Varios miles de inversores institucionales, fondos de inversión alternativa, fondos de pensiones y otros, que operan en el mercado las veinticuatro horas del día, trescientos sesenta y cinco días al año, de la forma más competitiva posible.

███

Por desgracia, la hipótesis de que la mayoría de los inversores institucionales pueden conseguir mejores rendimientos que el mercado es falsa. Las entidades son el mercado. Colectivamente consideradas, es imposible que consigan mejores resultados que ellas mismas.

███

La inversión mediante operaciones intradía es la peor de todas: un auténtico engañabobos. No lo haga, nunca.

36. DALIO, RAY

Ray Dalio (n. Jackson Heights, Nueva York, 1 de agosto de 1949) es un empresario estadounidense, fundador de la firma de inversiones Bridgewater Associates. A los doce años invirtió por primera vez sus pequeños ahorros de 300 dólares logrando triplicarlos.Ocupa la posición 60 en la lista Forbes (2015). En 2011 y 2012 fue catalogado por Bloomberg Markets como una de las cincuenta personas más influyentes y en 2012 ocupó el número 2 en la lista de ricos de Institutional Investor.

La Bolsa es un juego de suma cero. Para ganar más que la media tienes que coger el dinero de aquellos que se equivocan.

———

Casi todo en esta vida es como una máquina. La naturaleza, la familia, el ciclo de la vida... Mi objetivo es llegar a interpretar cómo funciona la maquinaria de los mercados.

37. DE LA LOMA JIMÉNEZ, ALEXEY

Alexey de la Loma Jiménez es licenciado en Economía, diplomado en Ciencias Empresariales, miembro de la Market Technicians Association (MTA) y analista técnico reconocido por la Chartered Market Technician (CMT).

Desde 2001 se dedica a los mercados financieros, como trader y formador. Fundó y dirige Financer Training, compañía de formación de traders. Ejerce como profesor en la Universidad CEU San Pablo y la Universidad Rey Juan Carlos.

El éxito en el trading se consigue mediante el dominio de tres disciplinas: sistemas de trading, psicología y *money management*. Si quiere convertirse en un buen trader, profundice en su estudio, con especial atención al *money management*.

Siempre que empecemos a hacer trading debemos considerar el peor de los escenarios posibles y asignarle una probabilidad; esto se denomina «probabilidad de ruina».

—

Las comisiones y los deslizamientos son dos factores muy importantes a tener en cuenta a la hora de implementar cualquier estrategia, y su importancia es directamente proporcional al número de operaciones por unidad de tiempo que se realizan.

—

La gestión del riesgo es fundamental, ya que se encarga de preservar nuestro capital; no olvidemos que ése es nuestro primer objetivo, el segundo es incrementar nuestra cuenta de trading. El mayor exponente para la correcta gestión del riesgo es la utilización de *stops* de pérdidas, así como contar con un capital inicial suficiente para soportar nuestro *drawdown*.

—

Me gustaría destacar dos reglas de oro para cualquier persona que se quiera iniciar en el trading. La primera es que no existe un solo camino a seguir, no existe el sistema perfecto, y cada trader debe experimentar y buscar su propio camino, y la segunda es que correr en el mercado no sirve de nada, el mercado no se va a ir a ningún sitio y las oportunidades vienen todos los días, es importante formarse bien y diseñar un buen plan de trading antes de lanzarse al ruedo bursátil.

—

Si lo que queremos es mejorar nuestro trading y parecernos a los grandes, dejémonos aconsejar por sus reflexiones.

38. DEMARK, TOM

Thomas R. DeMark (n. 1947) es presidente y consejero delegado de DeMark Analytics y Market Studies, LLC. Es conocido en el mundo entero por sus indicadores, modelos y técnicas de *market timing* (esperar el momento oportuno de entrada en base a la predicción de movimientos futuros). Es autor de varios libros sobre *market timing* en mercados de valores, que se encuentran entre los más vendidos sobre el tema, entre ellos *New Market Timing Techniques*.

Al igual que con la teoría de las ondas de Elliott, tengo un gran respeto por Robert Prechter. Su método de trabajo le ha llevado a conseguir unos resultados espectaculares; sin embargo, ¿puede el inversor medio beneficiarse de este enfoque? Les desafío a que construyan un sistema de trading mecánico basado en la teoría de las ondas de Elliott. Siempre podremos mirar un gráfico de cotizaciones históricas y trazar las ondas de forma correcta, el problema reside en saber en tiempo real en qué fase del movimiento de las ondas nos encontramos.

39. DENNIS, RICHARD

Richard Dennis comenzó a interesarse por los mercados de futuros a finales de la década de 1960. Con veinticinco años logró su primer millón de dólares y con treinta y siete disponía ya de 200 millones de dólares. En 1983 lideró, junto con William Eckhardt, el experimento de los Turtle Traders («Traders Tortuga»), que derivó en una de las más famosas técnicas de trading, técnica que les permitió amasar una enorme fortuna especulando en los mercados financieros. Richard Dennis es considerado, actualmente, uno de los mayores traders individuales del mundo.

Uno de los peores errrores que puede cometer un trader es dejar pasar una buena operación ganadora. El 95 por ciento de los beneficios se generan en un 5 por ciento de operaciones.

No creo que los sistemas de trading sean tan vulnerables como para que dejen de funcionar cuando se hacen públicos. Si tu sistema es bueno, funcionará de todas formas. Estoy seguro de que se podrían publicar las reglas del sistema en un periódico y nadie las seguiría. La clave está en la disciplina y la consistencia.

———

Cuando las cosas se tuercen, el trader no debe esconder la cabeza bajo la arena y esperar a que pase la tempestad.

———

Los mercados son todos diferentes; sin embargo, las reglas que uso son siempre las mismas.

———

La clave es la constancia y la disciplina.

———

Ser coherente y asegurarse de que usted hace eso todo el tiempo es probablemente más importante que las características particulares que se utilizan para definir la tendencia. Sea cual sea el método que utilice para abrir una operación, lo más importante es que si hay una tendencia importante, el enfoque debe asegurar que entraremos en esa tendencia.

40. DICHOS ANÓNIMOS

A continuación vamos a ver una recopilación de dichos anónimos relacionados con el dinero y la Bolsa.

La tendencia es tu amiga.

—

Si se arroja desde suficiente altura, incluso un gato muerto saltará (principio del rebote del gato muerto).

—

No hay nada malo en los gráficos (*charts*), el problema está en los grafistas (chartistas).

—

Después de un desplome bursátil hasta una piedra sube.

—

La Bolsa repite una y otra vez los mismos viejos movimientos, siguiendo en gran medida la misma vieja rutina.

———

Una acción vale lo que alguien está dispuesto a pagar por ella.

———

Cualquiera puede parecer un genio cuando el mercado es alcista, no pongas todos los huevos en la misma cesta.

———

No confunda cerebro con un mercado alcista.

———

Cuando Wall Street estornuda, la Bolsa española se resfría.

———

Ante una operación perdedora, no pierdas la lección.

———

La Bolsa no baja..., se agacha para tomar impulso.

———

La clarividencia financiera no es un don especial de adivinación del futuro, es la explotación racional de un sistema de información.

———

Con sacrificio puede ser que logres poco, pero sin sacrificio es seguro que no lograrás nada.

———

Que el último duro lo gane otro.

———

El de la economía es el único campo en el que dos personas pueden obtener el Premio Nobel por decir uno exactamente lo contrario del otro.

———

Dicen que el dinero lo hace todo, pero por mucho que él haga por nosotros, jamás hará tanto como hacemos nosotros por él.

———

Para ser un buen trader, hay que tener la paciencia de un santo y la disciplina de un soldado.

———

El peor enemigo de los inversores no es el mercado, sino ellos mismos.

———

La Bolsa baja en ascensor pero sube por la escalera.

—

Cuando el dinero habla, la verdad guarda silencio.

—

Dinero llama dinero.

—

Digan lo que digan los filósofos y los políticos, el hombre, para ser libre, necesita ante todo una buena cuenta corriente.

—

El dinero no da la felicidad. La compra ya hecha.

—

El hombre hace dinero, pero el dinero no hace al hombre.

—

Hay gente tan sumamente pobre que sólo tiene dinero.

—

Quien te diga que el dinero es la causa de todos los males, es que no lo tiene.

—

Cuando nuestras actitudes sobrepasen nuestras
habilidades, aun lo imposible se hace posible.

—

Ahorrar no es sólo guardar sino saber gastar.

—

La zona de confort es la zona de los que sólo observan
y aplauden, no la de los ganadores.

41. DONCHIAN, RICHARD

Richard Davoud Don-
chian (n. Hartford, Con-
necticut, 1905-† Laurder-
dale, Florida, 1993) fue
un trader de materias primas y pionero en la ges-
tión de futuros, graduado
en Económicas por la
Universidad de Yale en
1928. En 1948 creó Futures Inc., el primer fondo de
inversión en derivados gestionado mediante un modelo de diversificación, algo totalmente novedoso en
aquella época.

Muchos de los modernos sistemas de seguimiento
de tendencias, tales como el sistema de trading de las
«Tortugas», se basan en su obra.

Nunca nadie me ha demostrado cómo una compleja
ecuación matemática puede responder a una
pregunta, es el mercado en sus fases de distinta
tendencia el que nos dice qué posición debemos
adoptar.

42. DOUGLAS, MARK

Mark Douglas (n. 1949-†
Scottsdale, Arizona, 12 de
septiembre de 2015).
Prestigiosa figura de la en-
señanza del trading, pio-
nero en la aplicación de la
psicología en el trading y
en ayudar a los traders
a desarrollar confianza y
disciplina para dominar los mercados. Fue presidente
de la firma Trading Behavior Dynamics. Es autor de
Trading en la zona (manual de referencia por lo que
respecta a la psicología en el trading) y *The Discipli-
ned Trader*.

Aceptar el riesgo quiere decir aceptar las
consecuencias de las operaciones sin malestar
emocional ni miedo.

—

Es muy extremadamente difícil aprender algo nuevo
cuando se tiene miedo, porque, como bien sabemos, el
miedo debilita la energía.

—

Si existe un secreto en el trading, es éste: cualquiera que sea la capacidad de cada uno, hay que (1) operar sin miedo o exceso de confianza, (2) percibir lo que ofrece el mercado, (3) permanecer concentrado en el flujo de oportunidades del instante presente, y (4) entrar espontáneamente en la «zona»; esto es, la fe absoluta y virtualmente inexpugnable en un resultado incierto además de contar con una ventaja a nuestro favor.

———

La percepción del riesgo por la mayoría de traders, en una situación de trading dada, depende en gran parte del resultado de sus dos o tres últimas operaciones.

———

Los mejores traders han llegado a un punto en el que creen, sin la menor duda o conflicto interno, que «todo puede ocurrir».

———

El proceso del trading comienza con la percepción de una oportunidad.

———

Cuando cese de cometer errores de trading, comenzará a tener confianza en usted mismo. A medida que tome confianza, su sentimiento de seguridad aumentará.

———

Los mejores traders pueden efectuar una operación sin la menor duda y sin el menor problema, admitiendo fácilmente que puede no funcionar.

———

El 99 por ciento de los errores de trading que va a cometer posiblemente —haciendo que el dinero se evapore delante de sus ojos— serán debidos a su actitud de cara a los errores, a las pérdidas, a las ocasiones fallidas y al dinero mal empleado. Éstos son los que yo llamo los cuatro principales temores del trader.

———

La dura realidad del trading es que, si queremos llegar a ser regulares, debemos partir del principio de que, cualquiera que sea el resultado, nosotros somos completamente responsables.

———

Podemos decir, sin temor a equivocarnos, que tras una pérdida un trader debutante caerá en un estado de dolor emocional. En consecuencia, la calidad de su trading cambiará radicalmente; perderá definitivamente aquel estado de ánimo sereno, pero más importante todavía, pensará que el mercado le hizo esto personalmente.

———

Cuando esté seguro de usted mismo y liberado de temores y preocupaciones, no le será difícil realizar una serie de operaciones ganadoras porque es muy fácil entrar en un movimiento, en una especie de ritmo natural, donde lo que se debe hacer parece evidente por sí mismo.

Asumir la responsabilidad de nuestras actividades de trading y aprender los principios apropiados al éxito van indisociablemente ligados.

Lo crea o no, entre todas las habilidades que necesita para aprender a ganar con regularidad, aprender a recoger beneficios es probablemente la más difícil de dominar.

Aprender cada vez más sobre los mercados con la única finalidad de protegerse del dolor va a complicar sus problemas, porque cuanto más sepa, más esperará del mercado y más sufrirá cuando éste no haga lo que uno espera.

El factor determinante que distingue a los traders que ganan regularmente de todos los demás radica en una facultad mental —una serie única de actitudes— que les permite mantenerse disciplinados, concentrados y sobre todo confiados a pesar de las condiciones desfavorables.

———

Una anomalía muy curiosa sobre el trading es que cuando nuestra primera operación es ganadora, automáticamente experimentamos una sensación de control y dominio, desarrollamos una falsa actitud ganadora basada en una operación totalmente aislada.

———

Lo que realmente separa a los buenos traders de los malos no es lo que hacen o cuándo lo hacen, sino cómo piensan en lo que hacen y cómo piensan cuando lo hacen.

———

Aunque muy pocos lo admiten, la verdad es que el trader medio lo que quiere es acertar en todas sus operaciones y lo que busca desesperadamente es crear certidumbre en una circunstancia que es aleatoria.

———

Si usted ha experimentado «la experiencia de la zona» en algún deporte, sabrá que es un estado mental en el que no existe miedo alguno, todas nuestras acciones fluyen instintivamente. No se ponderan las alternativas ni se hacen juicios de valor sobre las diferentes posibilidades, simplemente se actúa.

———

Como trader, es más importante saber que vamos a seguir siempre nuestras reglas que saber que vamos a ganar dinero, porque, independientemente del dinero que vayamos ganando, si no seguimos nuestras reglas acabaremos perdiendo todo lo ganado.

———

La confianza y el miedo son estados mentales similares en su naturaleza y separados sólo por su graduación. A medida que aumenta nuestro nivel de confianza, nuestro nivel de ansiedad y miedo se reducirá proporcionalmente.

43. DOW, CHARLES

Charles Henry Dow (n. Sterling, Connecticut, 6 de noviembre de 1851-† Brooklyn, Nueva York, 4 de diciembre de 1902) fue un periodista y economista estadounidense, considerado el «padre» del análisis técnico. Se inició en el periodismo en 1872 como editor de *The Springfield Daily Republican*. Posteriormente, ejerció como reportero para diferentes periódicos y entró en la agencia de noticias Kierman, donde conoció a Edward David Jones. Tanto Dow como Jones abandonarían Kierman, para fundar, en 1882, junto con Charles Milford Bergstresser, la Dow Jones & Company, empresa dedicada a publicar información financiera.

Fundaron el prestigioso diario económico *The Wall Street Journal* con el propósito de reflejar la salud económica de Estados Unidos. Dow creó dos índices bursátiles, el Dow Jones Industrial Average (DJIA), formado inicialmente por las doce mayores empresas industriales (actualmente compuesto por treinta valores), y el Dow Jones Railroad Average, cuyo nombre se modificó más tarde por el de índice de transportes, Dow Jones Transportation Average (DJTA). Basándose en estos índices, formuló la teoría del Dow, base del análisis técnico actual y que sigue vigente: «Los índices lo reflejan todo, los mercados se mueven por tendencias, los índices deben confirmar la tendencia entre ellos, el volumen debe confirmar la tendencia, los cierres son lo importante y las tendencias están vigentes hasta que no se confirme el cambio».

El orgullo de la opinión es responsable de más personas arruinadas en Wall Street que cualquier otra causa.

——

El público, en su conjunto, compra en el momento equivocado y vende en el momento equivocado.

44. DOWNS, ED

Ed Downs fundó y preside Nirvana Systems, Inc. desde 1987. Licenciado en Ingeniería Mecánica por la Universidad de Texas en El Paso, tiene una máster en Ciencias en Ingeniería Eléctrica por la Universidad de Texas en Austin y cuenta con más de veinte años de experiencia en trading y desarrollo de software. Antes de fundar Nirvana Systems, trabajó en el diseño de software de automatización para Tektronix. Además de inventar los conceptos originales para OmniTrader y VisualTrader, ha participado en seminarios comerciales y ha publicado varios libros, entre ellos *7 Chart Patterns That Consistently Make Money*.

El análisis fundamental nos dice lo que debería hacer el mercado en base a las expectativas de resultados. El análisis técnico nos dice lo que el mercado está haciendo y hacia dónde se dirigen los precios.

Los patrones gráficos funcionan porque la gente reacciona a los movimientos de los precios basándose en su mayoría en el miedo, la codicia y la mentalidad del rebaño.

▬

Las mejores herramientas que podemos utilizar para determinar los grandes movimientos del mercado son los rangos de consolidación. Estos rangos, normalmente, indican que el mercado continuará el movimiento anterior a la consolidación y el recorrido será el doble de la distancia original.

▬

Los sistemas de trading nos pueden ofrecer una ventaja cuando se ha adquirido un conocimiento previo sobre el trading y sistemáticamente se aplica ese conocimiento.

▬

Los mercados alcistas no tienen resistencia y los bajistas no tienen soporte.

▬

Los clímax de volumen son unas figuras preciosas, con una fiabilidad del 90 por ciento para predecir figuras de vuelta del día siguiente. Cuando se producen, es probable que el mercado se mueva en la dirección opuesta, simplemente no sabemos cuánto.

45. DREMAN, DAVID

David Dreman es presidente y jefe de Inversiones de Dreman Value Management, una empresa de gestión de inversiones basada en los principios del value investing, en la que gestiona fondos de inversión, fondos de pensiones y dinero de grandes patrimonios.

Aparte de ser un gran gestor, Dreman ha publicado numerosos estudios académicos, muchos de ellos desmontando la hegemónica hipótesis del mercado eficiente que tanto daño ha hecho en el mundo de la inversión. Forma parte del equipo de dirección del Institute of Behavioral Finance (Instituto de Finanzas Conductuales) y es columnista en la revista *Forbes*. Es autor de diversos libros, entre los que destaca *Contrarian Investment Strategies: The Next Generation*.

En cuanto a la psicología, no importa cuánto la hayas estudiado o cuánto pienses que sabes de ella. Es capaz de reducir muy rápidamente tanto tu ego como tu dinero.

—

Si las estrategias contrarias funcionan tan bien, ¿por qué no las sigue más gente?... No es suficiente con tener unos métodos ganadores, debemos ser capaces de usarlos. Suena casi como algo simple, pero no lo es.

46. DUARTE, ELIMELECH

Elimelech Duarte es un psicólogo con más de quince años de experiencia, doctorado por la Universidad Complutense de Madrid. Diseña programas personalizados para favorecer la automotivación. Utiliza neurofeedback y entrenamiento cognitivo para la mejora de habilidades cognitivas como la atención, la memoria y la resolución de problemas.

El mayor obstáculo para el éxito del trader es su incapacidad para seguir las reglas de su sistema.

47. DUNN, WILLIAM

William, Bill, Dunn es fundador y presidente de DUNN Capital Management, Inc., con sede en Stuart, Florida. Pionero en la aplicación de la tecnología informática para la gestión de carteras, además de ejecutar su negocio de gestión de activos, participa activamente en la supervisión de la investigación y el desarrollo de nuevos modelos comerciales cuantitativos.

Si usted tiene un sistema de trading o un plan de trading y no lo sigue, o modifica sus puntos de entrada y salida, entonces usted no tiene, realmente, un sistema de trading o un plan de trading.

48. DURANTE, JIMMY

James Francis, Jimmy, Durante (n. 10 de febrero de 1893-† 29 de enero de 1980) fue un actor, humorista, cantante y pianista estadounidense, una de las personalidades más populares y familiares entre los años 1920 y 1970 del siglo XX. Se hizo famoso con sus actuaciones en Broadway y sus apariciones en radio, televisión y películas. Uno de sus rasgos distintivos era su gran nariz, que le valió el apodo de *Schnozzola* o *The Nose*.

El hombre es el único animal que puede ser desplumado más de una vez.

49. ECKHARDT, WILLIAM

William Eckhardt es operador y matemático. Ha desarrollado un sistema de inversión que aplica a la gestión de su propia cuenta y de las cuentas de otras personas en los mercados de futuros y opciones. En 1983 lideró, junto con Richard Dennis, el experimento de los Turtle Traders («Traders Tortuga»), que derivó en una de las más famosas técnicas de trading. En 1991 fundó su propia compañía de trading, Eckhardt Trading Company, que acumula unas ganancias anuales del 17 por ciento desde hace veinte años.

La mayoría de las cosas que parecen buenas en un gráfico no funcionan el 98 por ciento del tiempo.

—

Dos de los pecados capitales del trading —dejar que las pérdidas corran y cortar los beneficios— son el resultado de la búsqueda de éxito en las operaciones recientes, en detrimento de la rentabilidad a largo plazo.

—

Conozco a algunos millonarios que empezaron a operar con dinero heredado. En cada caso, perdieron su dinero porque no sentían dolor con las operaciones perdedoras. En sus primeros años de formación creían que podían permitirse perder dinero. Es mejor ir al mercado con poco dinero, sintiendo que no podemos permitirnos el lujo de perderlo. Me inspira más confianza de éxito una persona que empieza con miles de dólares que una que empieza con millones.

———

No he visto mucha relación entre buenas operaciones e inteligencia. Algunos traders excepcionales son muy inteligentes y otros no tanto. Muchas personas inteligentes son unos traders horribles. Un coeficiente de inteligencia medio es suficiente. Lo realmente importante es nuestra capacidad emocional.

———

Uno de los viejos adagios sobre Bolsa que no puede ser más inexacto es el de que uno nunca se va a arruinar tomando pequeños beneficios. Ésta es precisamente una de las formas en que se puede arruinar un trader. Mientras que los traders novatos se arruinan por tomar grandes pérdidas, los traders profesionales lo hacen por tomar pequeños beneficios.

———

Comprar en retrocesos es psicológicamente seductivo,
al encontrarnos con un precio inferior al que había
antes. Sin embargo, considero que esta metodología
es como un caramelo envenenado.

▬

No me gusta comprar en retrocesos. Cuando el
mercado está subiendo claramente, más bien
compraría antes que esperar a ninguna corrección...
Comprar en las correcciones es una de las cosas que te
da una satisfacción psicológica (por comprar barato)
más que ser beneficioso desde el punto de vista del
trading. Como regla general, no hagas caso de esas
cosas que te dan una falsa sensación de confort.

▬

Su trabajo consiste en seguir el sistema. Si el sistema
hace algo que se traduce en pérdidas, eso es sólo una
parte esperada del sistema.

▬

No miramos a los datos neutralmente, esto es, cuando los ojos humanos recorren un gráfico, no dan el mismo peso a todos los puntos. En su lugar, se fijan en ciertos casos sobresalientes, y tendemos a formar nuestras opiniones sobre la base de estos casos especiales. Está en la naturaleza humana escoger los sucesos sorprendentes de un método y despreciar las pérdidas del día a día que nos corroen los huesos. Así, incluso un examen cuidadoso de los gráficos resulta propenso a dejar al examinador con la idea de que el sistema es mejor de lo que realmente es.

—

Los traders novatos se arruinan por operaciones con grandes pérdidas y los traders profesionales por operaciones con pequeños beneficios. Esto es debido a que la naturaleza humana no nos lleva a maximizar las ganancias, sino a maximizar la probabilidad de operaciones con ganancias o fiabilidad.

—

No ayuda estar preocupado por las pérdidas. Si usted está preocupado, canalice esa energía en la investigación.

50. ELDER, ALEXANDER

Alexander Elder es doctor en medicina especializado en psiquiatría y trader profesional. En 1988 fundó Elder.com, originariamente llamada Financial Trading Inc., una empresa dedicada a la formación en trading. Es autor de *Vivir del trading*, un auténtico éxito de ventas que le ha valido el reconocimiento mundial entre la comunidad de traders.

Usted puede ganar en trading sólo si lo enfoca como una búsqueda intelectual. El trading emocional resulta letal. Para ayudarse a conseguir el éxito, practique una gestión del dinero defensiva. Un buen trader mira su capital tan cuidadosamente como un buzo profesional cuida su suministro de aire.

—

Cuando usted admite que tiene un problema personal que le induce a perder, puede comenzar a construir una nueva vida como trader. Puede empezar a desarrollar la disciplina de un ganador.

—

Puede usted tener un brillante sistema de trading, pero si se siente asustado, arrogante o contrariado es seguro que su cuenta sufrirá.

—

Usted debe ser consciente de su propia tendencia al autosabotaje. Deje de echar la culpa de sus pérdidas a la mala suerte o a los demás y asuma la responsabilidad. Empiece a llevar un diario, un registro de todas sus operaciones, con las razones que le llevaron a entrar o salir de ellas. Busque las pautas repetitivas de éxitos y fracasos.

—

Sus sentimientos tienen un impacto directo en su cuenta de capital.

—

Seguramente, deberá consagrar tanta energía a analizarse usted mismo como a analizar los mercados.

—

Por lo general, los perdedores esconden sus pérdidas y tratan de aparecer y actuar como ganadores, pero están corroídos por las dudas.

—

La avaricia y el miedo llevan a un trader a la ruina. Debe usted usar el intelecto en vez de operar con el instinto como guía.

—

Un perdedor nunca sabe por qué pierde. Si lo supiera hubiera tomado medidas para evitar las pérdidas y sería un ganador.

—

A todos nos gusta esperar que una operación tendrá éxito, y el *stop* es un trozo de realidad que nos protege de caer en esperanzas vanas.

—

Tras practicar la psiquiatría durante muchos años, he llegado a convencerme de que la mayoría de los fracasos en la vida son debidos al autosabotaje.

—

Todo ganador debe dominar tres componentes esenciales del trading: una sólida psicología individual, un sistema lógico de trading y un buen plan de gestión del dinero.

—

La mayoría de aficionados se sienten como genios tras una racha de ganancias. Es excitante creer que uno es tan bueno que puede saltarse sus propiar reglas y ganar. Es entonces cuando los traders se desvían de sus reglas y caen en la autodestrucción.

———

Los buenos traders tratan las rachas de pérdidas del mismo modo que los bebedores en sociedad tratan el alcohol.Toman un poco y paran.

———

Hay un crudo paralelismo entre un alcohólico y un trader cuya cuenta está siendo demolida por las pérdidas. Continúa cambiando de táctica, actuando como un alcohólico que intenta resolver su problema pasando de los licores fuertes a la cerveza. Un perdedor niega haber perdido el rumbo en el mercado.

———

La pérdida es a un perdedor lo que el alcohol es a un alcohólico.

———

Un trader de éxito es una persona realista. Conoce sus habilidades y sus limitaciones. Ve lo que sucede en el mercado y sabe cómo reaccionar. Analiza el mercado sin economizar esfuerzos, observa sus propias reacciones y hace planes realistas. Un trader profesional no puede hacerse ilusiones.

———

Un trader puede recuperarse usando los principios de Alcohólicos Anónimos.

———

Las operaciones que usted haga deben basarse en reglas claramente definidas. Debe ir analizando sus propios sentimientos conforme vaya haciendo trading, para estar seguro de que sus decisiones sean sólidas desde el punto de vista intelectual. Debe estructurar su gestión del dinero de tal modo que ninguna racha de pérdidas pueda sacarle del juego.

———

El objetivo del trader exitoso es hacer las mejores operaciones posibles. El dinero es secundario. Si esto le sorprende, piense en cómo actúan los profesionales de cualquier campo. Los buenos profesores, médicos, abogados, granjeros y otros hacen dinero, sí, pero no lo cuentan mientras están trabajando. Si lo hicieran, la calidad de su trabajo se resentiría.

———

Cuando se hace trading, se está compitiendo con las mentes más agudas del mundo. El ámbito en el que usted compite ha sido preparado para que pierda. Si deja que sus emociones interfieran en su trading, ya ha perdido la batalla.

———

El éxito en el trading se sustenta en tres pilares. Hay que analizar el equilibrio de poder entre alcistas y bajistas. Hay que gestionar el dinero debidamente. Se necesita disciplina personal para seguir el propio plan de trading y evitar atolondrarse en los mercados.

▬

Desafortunadamente, el trading atrae a la gente impulsiva, a los jugadores y a aquellos que piensan que el mundo les debe algo.

▬

El mercado ofrece enormes tentaciones, como atravesar una caja fuerte llena de oro o un harén.

▬

Casi a cada nuevo ciclo importante del mercado, o sea una vez cada cuatro años, surge un nuevo gurú del ciclo del mercado. Su fama dura unos dos o tres años. El reinado de cada gurú coincide con cada fase alcista importante de las bolsas americanas.

▬

Todos los gurús se estrellan y, por definición, lo hacen en el apogeo de su fama.

▬

Los perdedores que sufren del «mito del cerebro» le dirán: «Pierdo porque no conozco los secretos del trading». Muchos perdedores tienen la fantasía de que los traders exitosos tienen algún conocimiento secreto.

———

Si su mente no está sincronizada con los mercados o si ignora los cambios en la psicología de las masas entonces no tiene ninguna probabilidad de hacer dinero con el trading.

———

Lo que distingue a los ganadores de los perdedores no es ni la inteligencia ni los secretos, ni desde luego la formación.

———

Los traders serios colocan sus *stops* en el momento en que inician una operación.

———

Aceptar una pérdida puede ser difícil emocionalmente, pero recoger un beneficio puede ser más difícil todavía. Usted puede aceptar automáticamente una pérdida reducida si tiene la disciplina de colocar *stops* en el momento en que inicia la transacción. Recoger un beneficio requiere más reflexión. Cuando el mercado se mueve a favor suyo, usted ha de escoger entre mantener, salir o añadir a una posición.

———

Hacer trading viene a ser un intento de robar a los otros mientras que ellos intentan robarle a usted.

—

Desarrolle un método para analizar el mercado, esto es, «si ocurre A entonces es probable que ocurra B».

—

Decida que está usted en el mercado para quedarse, es decir, que quiere ser trader durante los próximos veinte años.

—

Usted ha de concentrarse en operar bien, y no en el dinero. Cada transacción debe manejarse como una operación quirúrgica: seriamente, con sobriedad, sin chapuzas o atajos.

—

El trader profesional debe usar la cabeza y mantener la calma. Sólo los aficionados se excitan o deprimen como consecuencia de sus transacciones.

—

Los perdedores no pueden parar: continúan haciendo trading porque son adictos a la excitación que produce el juego y mantienen la esperanza de obtener grandes ganancias.

—

El análisis técnico estudia el flujo y reflujo de la psicología del gran público sobre los mercados financieros.

—

Los traders se arruinan por aferrarse a una posición perdedora y mantener la esperanza de que la cosa mejore.

—

Un trader razonable nunca arriesga más del 2 por ciento del capital disponible en su cuenta en cualquier operación.

—

Existen tres clases de programas de trading: las cajas de herramientas, las cajas negras y las cajas grises.

—

Como trader inteligente, debe usted darse cuenta de que a largo plazo ningún gurú va a hacerle rico. Es usted mismo quien debe trabajárselo.

—

Aprenda tanto como pueda. Lea y escuche a los expertos, pero conserve un saludable escepticismo sobre cualquier cosa.

—

Recuerde que su objetivo es especular, no especular todo el tiempo.

———

Si la tendencia va en su contra, corte pérdidas y corra.

———

El dinero que usted quiere pertenece a otra gente que no tiene la intención de dejárselo.

———

Mentir a los demás es malo pero engañarse a uno mismo es inútil.

———

Los mercados cambian constantemente y derrotan a los sistemas de trading. La regla rígida de ayer puede funcionar mal hoy y probablemente dejará de funcionar completamente mañana. Un trader competente puede ajustar sus métodos cuando detecta problemas.

———

He oído a muchos agentes que se quejan de la escasez de clientes, pero nunca a los clientes quejarse de la escasez de agentes.

———

Todas las cajas negras se autodestruyen, porque los mercados están en cambio continuo. Incluso los sistemas que llevan incluidos procesos de optimización no funcionan, porque ignoramos el tipo de optimización que se necesitará en el futuro. No hay sustituto para el sentido común en el trading. La única manera de hacer dinero con una caja negra es vendiéndola.

51. ELIADES, PETER

Peter George Eliades es director y editor de stockmarketcycles.com. Se graduó en la Universidad de Boston. Comenzó su carrera financiera como corredor de bolsa en 1972. Colaborador en el canal de televisión KWHY, se hizo famoso tras acertar el cambio de mercado ocurrido en el Dow Jones en 1974.

Creo que la mayoría de los inversores da el salto de las acciones a los futuros por lo atractivo que resulta el apalancamiento. A más apalancamiento más diversión y más adrenalina. Generalmente, a la gente le gusta ver la recompensa del trabajo realizado de forma rápida y no se da cuenta de que el trading es un negocio y no un pasatiempo.

■

La principal diferencia entre el trader profesional y el novato es definitivamente la gestión de las pérdidas, la gestión del riesgo.

■

Se deben incrementar las posiciones a medida que nuestro sistema esté en racha y tengamos ganancias y arriesgar menos en los momentos en que el sistema nos lleva a las pérdidas. La gente hace justo lo contrario, especialmente por lo que respecta a las pérdidas. Acumulan más posiciones cuando están perdiendo como forma de recuperar rápidamente las pérdidas, y esto, lejos de recuperar la situación, lo que hace es empeorarla.

52. ELLIOTT, RALPH NELSON

Ralph Nelson Elliott (1871-1948) fue un economista estadounidense. Inició su trayectoria profesional como contable al rescate de empresas financieramente comprometidas. En 1920 se mudó a Nueva York y en 1924 fue enviado a Nicaragua como funcionario de Estados Unidos. Tras perder gran parte de su capital en la crisis de 1929, comenzó a estudiar las fluctuaciones de precios del Dow Jones en la Bolsa de Nueva York. Convencido de que todo se regía a partir de leyes naturales, intentó aplicarlas a los mercados financieros. En 1939 publicó doce artículos sobre sus investigaciones en la revista *Financial World*. Según el Principio de las ondas de Elliott, dentro de cada ciclo económico (del más largo al más corto) hay ocho ondas: tres impulsos de ascenso con dos correcciones y luego dos descensos con una corrección.

Como resultado de la investigación de Elliott, hoy, miles de gestores de carteras institucionales, traders e inversores privados utilizan el Principio de las ondas en sus decisiones de inversión.

No existe nada más aceptado que el hecho de que el universo está gobernado por leyes. Sin leyes, es evidente que nos gobernaría el caos, y donde gobierna el caos, no existe nada más.

53. FAITH, CURTIS

Curtis Faith es un trader estadounidense conocido internacionalmente por su participación en el experimento de «las Tortugas» y por los grandes resultados que consiguió en esta experiencia, convirtiendo 2 millones de dólares en 30 millones en cuatro años.

El grupo Turtle Traders («Traders Tortuga») estaba compuesto por veintitrés traders principiantes reclutados por Richard Dennis y William Eckhardt, y fue creado con la intención de gestionar un paquete de cuentas de trading siguiendo fielmente un misterioso sistema predeterminado. Curtis Faith fue considerado el mejor de este grupo.

Es autor del exitoso libro *La estrategia de las Tortugas* y de *Inside the Mind of the Turtles* y *Trading from Your Gut*.

En trading las emociones humanas son a la vez fuente de oportunidad y nuestro mayor reto. Llegue a controlarlas y triunfará. Ignórelas y será bajo su responsabilidad.

Saber hacer trading no es tener razón, es hacer lo que es necesario.

———

Si quiere tener éxito, debe pensar a largo plazo e ignorar los resultados de las operaciones individuales.

———

Concéntrese en el presente. No se torture con el pasado ni intente predecir el futuro, lo uno es contraproducente, lo otro imposible.

———

Sigamos siendo sencillos. Los métodos sencillos que sobreviven al paso del tiempo y que se ejecutan bien seguro que batirán a los métodos complicados y sofisticados.

———

El trading no es un sprint, es un combate de boxeo. El mercado le va a dar una paliza, le volverá los sesos agua y hará todo lo que esté a su alcance para ganarle. Pero cuando suene la campana al final del duodécimo asalto es necesario que siga en pie en el cuadrilátero para pretender ganar la partida.

———

Hacer trading con ventaja es lo que distingue al profesional del aficionado. Olvidarlo es hacerse devorar por quienes lo tienen presente.

La ruina es el riesgo que más debería preocuparle. Puede atacarle como un ladrón durante la noche y robarle todo si no vigila con mucha atención.

Cuando cambia la percepción colectiva, el precio evoluciona. Si, por una razón cualquiera, los vendedores ya no están dispuestos a vender al precio corriente sino que exigen un precio más alto y los compradores están dispuestos a aceptar este precio más alto, el precio sube.

Comprender bien el riesgo y respetarlo es la marca de los mejores traders. Saben que si no vigilan el riesgo, los fulminará.

El mercado no se preocupa de saber cómo le va a usted. No está ahí para apoyar su ego ni consolarle cuando le va mal. Por lo tanto el trading no está hecho para todo el mundo. Si no acepta afrontar la verdad sobre los mercados, sobre sus propios límites, sus miedos y sus fallos, entonces fracasará.

El *money management* es la ciencia que consiste en guardar su riesgo de ruina a niveles aceptables maximizando al mismo tiempo su potencialidad de ganancia.

Haga trading teniendo ventaja estadística, gestione su riesgo, sea regular y busque la sencillez.

—

Para hacer un buen trading debe comprender la lógica humana. Los mercados están formados por individuos, cada uno bajo la influencia de esperanzas, miedos y pequeñas manías. Como trader, pretenda explotar las oportunidades que se crean a partir de estas emociones humanas.

—

Asuma la plena y completa responsabilidad de las operaciones que inicia y no descargue la responsabilidad de sus propios fallos sobre otros, sean los mercados, sus agentes u otros. Asuma la responsabilidad de sus propias faltas y extraiga las enseñanzas correspondientes.

—

Piense en términos de probabilidades, no de predicción.

54. FARRELL, BOB

Bob Farrell es un trader veterano con más de cinco décadas de experiencia en los mercados.

Después de terminar sus estudios en la Columbia Business School, en 1957 se unió a Merrill Lynch como analista técnico. A pesar de su formación como analista fundamental poco a poco se pasó al análisis técnico, convirtiéndose en un pionero en los estudios del sentimiento y la psicología del mercado. Plasmó su experiencia en una serie de principios que se conocen como Diez reglas para operar en el mercado, derivadas de su experiencia personal en el trading.

El público suele comprar más en la parte superior que en la parte inferior.

—

Los excesos en una dirección darán lugar a un exceso opuesto en la otra dirección.

55. FISHER, KENNETH

Kenneth Lawrence Fisher (n. San Francisco, California, 29 de noviembre de 1950) es un analista estadounidense, fundador, presidente y director general de Fisher Investments. Escribe una columna mensual en la revista *Forbes* desde hace treinta años, es colaborador de numerosos medios de prensa económica, como el *Financial Times*, y es autor de once libros. En 2010, la revista *30 for 30* lo incluyó en la lista de las treinta personas más influyentes en el asesoramiento de inversiones de las tres últimas décadas. La firma de Fisher gestiona anualmente 50.000 millones de dólares.

Los terceros años siempre han sido positivos desde 1939. La subida media en este tiempo suele rondar el 18,5 por ciento.

Los mercados alcistas suelen morir por dos razones, porque se quedan sin fuerzas tras alcanzar máximos o por malas noticias que sorprendan a todo el mundo.

———

Para ganar dinero hay que invertir sabiendo algo que los demás no sepan.

56. FISHER, PHILIP

Philip Arthur Fisher (n. 8 de septiembre de 1907-† 11 de marzo de 2004) fue un inversor estadounidense. Comenzó su carrera en 1928 como analista en el Aglo-London Bank. En 1931 creó su propia firma de inversión, Fisher & Co., con la que logró fama y reconocimiento mundial. Publicó tres libros de referencia, *Common Stocks And Uncommon Profits* (1958), *Conservative Investors Sleep Well* (1975) y *Developing An Investment Philosophy* (1980).

Conozca el valor de sus inversiones. La Bolsa está llena de individuos que conocen el precio de todo, pero el valor de nada.

▬

La principal diferencia entre un tonto y un hombre sabio es que el hombre sabio aprende de sus errores, mientras que el tonto nunca lo hace.

▬

El mejor momento para vender una empresa excelente es nunca.

—

Tengo una intensa aversión a perder dinero.

—

Las empresas que no han podido ir cuesta arriba han ido siempre cuesta abajo.

—

No sigas a la multitud.

—

En la Bolsa tener un buen sistema nervioso es incluso más importante que tener una buena cabeza.

—

Los márgenes sobre beneficios pasados no son los importantes para los inversores, lo son los márgenes sobre beneficios futuros.

57. GANN, WILLIAM DELBERT

William Delbert Gann (n. Lufkin, Texas, 6 de junio de 1878-† Miami, Florida, 18 de junio de 1955) fue un reputado trader que desarrolló las técnicas de análisis de herramientas conocidas como ángulos de Gann.

Publicó diversos libros, entre ellos *Speculation a Profitable Profession* (1910).

El agua tiende a su nivel. Se puede forzar este nivel mediante una bomba de agua, aunque al dejar de bombear no se requiere ninguna fuerza para que el agua vuelva a su nivel natural. Las acciones funcionan de la misma forma.

—

Más del 90 por ciento de los traders que entran en el mercado sin el conocimiento o el estudio pierden al final.

—

Durante los últimos diez años he dedicado todo mi tiempo y atención a la especulación en los mercados. Como muchos otros, perdí miles de dólares y sufrí las subidas y bajadas inherentes al novato que se introduce en el mundo de los mercados sin una base de conocimiento suficiente.

———

Pronto me di cuenta de que los hombres que han tenido éxito —abogados, médicos, científicos— han dedicado años de estudio e investigación en sus respectivos campos antes de intentar ganar dinero con sus profesiones.

———

La vibración es fundamental: nada está exento de esta ley. Es universal, por lo tanto, aplicable a toda clase de fenómenos en el mundo.

58. GETTY, JEAN PAUL

Jean Paul Getty (n. Minneapolis, Minnesota, 15 de diciembre de 1892-† Londres, 6 de junio de 1976), fue un multimillonario estadounidense, fundador de la petrolera Getty-Oil. Coleccionista de arte y antigüedades, fue famoso por ser una de las primeras personas del mundo en tener una fortuna superior a los 1.000 millones de dólares, pero sobre todo por su extrema tacañería, que le costó una oreja a su nieto tras ser secuestrado por la mafia en Roma, al negarse a pagar el rescate, alegando que si lo hacía podrían secuestrar a sus catorce nietos. La historia de su familia, una de las más acaudaladas de Estados Unidos, está llena de sucesos trágicos.

Getty-Oil fue adquirida por Texaco en 1984. Getty escribió un libro de gran éxito titulado *How to be Rich* («Cómo ser rico»).

Cuando no se tiene dinero, siempre se piensa en él.
Cuando se tiene, sólo se piensa en él.

Yo compro cuando los demás venden.

—

Siempre he tenido un sitio donde colocar cada dólar que he ganado. Todavía no he visto el día en que pueda decir que soy rico. Uno siempre está preocupado por las facturas pendientes.

—

Para tener éxito en los negocios, para alcanzar la cima, una persona debe saberlo todo acerca de ese negocio.

—

Hay tres formas de ganar dinero: una es mediante una herencia, la segunda mediante el matrimonio y la tercera es encontrar algo que funciona y copiarlo.

—

Yo no diría que los millonarios son mezquinos. Simplemente, sienten un gran respeto por el dinero. Me he dado cuenta de que las personas que no respetan el dinero, no lo tienen.

59. GLYDON, NICK

Nick Glydon, graduado por el University College, es analista técnico y cofundador, en 2003, de Redburn Partners. Ha trabajado como analista técnico desde 1986, más recientemente en Crédit Lyonnais, Flemings y JP Morgan.

No confundas la parte inferior de la pantalla con un soporte.

60. GOODMAN, GEORGE

George Jerome Waldo Goodman Goodman (n. Saint Louis, Missouri, 10 de agosto de 1930-† Miami, Florida, 3 de enero de 2014). Graduado por la Universidad de Harvard, fue un escritor estadounidense de gran éxito, y también triunfó en la televisión con un programa de finanzas, utilizando el seudónimo Adam Smith. Como autor de ficción firmó bajo el nombre de George Goodman.

Si no sabes quién eres, el mercado de valores es un sitio muy caro para descubrirlo.

61. GRAHAM, BENJAMIN

Benjamin Graham (n. Londres, 8 de mayo de 1894-† 21 de septiembre de 1976) fue un economista e inversor profesional, considerado uno de los mejores inversores de todos los tiempos. También tiene el honor de haber sido el primer defensor del value investing («inversión en valor»).

Es autor de un gran número de publicaciones, entre las que destacan *El inversor inteligente* y *Security Analysis*.

El principal problema del inversor, e incluso su peor enemigo, es probablemente él mismo.

—

Las pérdidas realmente horrorosas siempre se producen después de que el comprador se olvidase de preguntar cuánto costaba.

—

Es sorprendente ver cuántos empresarios tremendamente capaces tratan de operar en Wall Street desentendiéndose de todos los principios de sensatez con los que han conseguido el éxito en sus propias empresas.

———

Incluso el inversor inteligente necesitará una considerable fuerza de voluntad para dejar de seguir a la multitud.

———

Usted no tendrá razón ni se equivocará por el hecho de que la multitud no esté de acuerdo con usted. Tendrá razón porque sus datos y su razonamiento sean correctos.

———

Conseguir unos resultados de inversión satisfactorios es más sencillo de lo que la mayoría de la gente piensa; conseguir unos resultados superiores es mucho más difícil de lo que parece.

———

Es absurdo pensar que el público en general puede ganar dinero con las proyecciones de mercado.

———

La tarea del señor Mercado es facilitarle precios; la de usted es decidir si le resulta interesante hacer algo respecto de esos precios. No tiene usted que hacer operaciones con el mercado simplemente porque éste le ruegue incesantemente que lo haga.

———

El mercado es un péndulo que oscila constantemente entre un optimismo insostenible (que hace que las acciones sean demasiado caras) y un pesimismo injustificado (que hace que sean demasiado baratas). El inversor inteligente es un realista que vende a optimistas y compra a pesimistas.

———

Cuanto más se aleja uno de Wall Street, más escepticismo encontrará, o por lo menos eso creemos, hacia las pretensiones de pronosticar la evolución del mercado de valores o de determinar el momento adecuado para operar en él en función de la coyuntura.

———

El señor Mercado es un esquizofrénico en el corto plazo, pero recupera su cordura en el largo plazo.

———

El inversor que tenga una cartera de acciones sólida
debería esperar que sus precios fluctuasen, y no
debería preocuparse por las caídas considerables ni
emocionarse por las subidas de precio considerables.

———

Las personas que no pueden controlar sus emociones
no son aptas para obtener beneficios mediante la
inversión.

———

El inversor que permita que otros lo arrastren a las
estampidas o que se preocupe indebidamente por las
retracciones injustificadas provocadas por el mercado
en sus carteras estará transformando perversamente
su ventaja básica en una desventaja esencial.

———

Hay dos reglas para invertir: La primera es «no pierdas»
y la segunda es «no olvides nunca la primera regla».

62. GRAMZA, DAN

Dan Gramza es presidente de Gramza Capital Management, Inc. y de DMG Advisors, LLC. Es empresario, consultor, asesor de *hedge funds*, trader y educador reconocido internacionalmente. Es profesor adjunto de CME Group, Eurex, SGX, las universidades de Northwestern y Ginebra, y la Chicago Stock Exchange. Con más de veinticinco años de experiencia como trader en opciones sobre acciones y futuros, ha colaborado con numerosos medios de comunicación en espacios dedicados a las finanzas, como Bloomberg TV, Intereconomía, CNN o Reuters TV.

Algunas de las reglas utilizadas en las artes marciales son aplicables al mundo del trading: (1) mantener la mente alerta y (2) mantenerse relajado para poder reaccionar rápidamente.

El análisis técnico es una herramienta contemporánea muy importante para el análisis del mercado. Es una metodología para resumir el comportamiento humano.

63. GRANVILLE, JOSEPH

Joseph Ensign, Joe, Granville (n. 20 de agosto de 1923-† 7 de septiembre de 2013) fue un escritor financiero y analista técnico. Popularizó el uso del indicador OBV (On Balance Volume), que intenta predecir los precios futuros de los activos financieros negociados en los mercados mediante la información del volumen. Publicó el boletín financiero *The Granville Market Letter* desde 1963 hasta poco antes de su fallecimiento, en 2013. En su mejor momento, a principios de los años ochenta, su boletín de noticias y estrategias llegó a tener 13.000 abonados. Pasó a la historia con la caída del 2,4 por ciento del Dow Jones, tras avisar el día anterior en su boletín de que había que vender todo.

Tan pronto como crea que tiene la llave de la bolsa de valores, cambian la cerradura.

■

Si es obvio, es obviamente erróneo.

■

¿Por qué trata la gente de asociar en todo momento la
economía con el mercado de valores? La economía no
tiene nada que ver con la elección del momento
oportuno, y la elección del momento oportuno lo es
todo.

64. GREEN, HETTY

Hetty Green (n. Massachusetts, 21 de noviembre de 1834-† Nueva York, 3 de julio de 1916), Inversora estadounidense apodada *la Bruja de Wall Street*. A los treinta años heredó 5 millones de dólares, que al momento de su muerte habían pasado a ser 100 millones de dólares, convirtiéndola en la mujer más rica de Estados Unidos. De carácter extemadamente avaro, su hijo perdió una pierna al negarse a gastar dinero en un médico y ella misma terminó en silla de ruedas por no operarse de una hernia, ya que la operación costaba 150 dólares. El anecdotario sobre su avaricia es interminable. Tenía un gran olfato para los negocios y las inversiones. Sólo compraba acciones en momentos de pánico financiero.

Sólo hay que comprar barato y vender caro, actuar con actitud ahorrativa y astucia, y ser tesorera.

65. GREENBLATT, JOEL

Joel Greenblatt (n. Great Nec, Nueva York, 13 de diciembre de 1957) es fundador y socio director de Gotham Capital, sociedad de inversión privada en la que ha logrado cerca de un 40 por ciento anualizado desde 1985. Su filosofía de inversión se basa en el *value investing*. Ejerce de profesor adjunto en la Escuela de Negocios de la Universidad de Columbia. Es autor de *The Little Book That Beats The Market, You Can Be a Stock Market Genius* y *The Big Secret for the Small Investor: A New Route to Long-Term Investment Success.*

Elegir acciones individuales sin una idea de lo que estás buscando es como atravesar una fábrica de dinamita con una cerilla encendida. Puedes sobrevivir, pero sigues siendo un idiota.

66. GRETZ, FRANK

Frank Gretz es un analista técnico licenciado en Economía por la Universidad de Georgetown. Trabaja desde 1985 en Wellington Shields & Co., LLC como analista técnico. Realiza apariciones frecuentes en diversos medios, como CNBC, CNNfn y Bloomberg TV.

Puede sonar raro, pero todos pensamos que sabemos cuáles son nuestras propias opiniones. Sin embargo, si nos obligaran a reconsiderarlas y a escribirlas una vez a la semana, eso nos ayudaría a conocernos mejor y nos daría una idea de lo convencidos que estamos de la veracidad de nuestros argumentos y de si estamos posicionados en el lado correcto del mercado.

—

Aunque pueda parecer absurdo, ganar dinero puede afectarle negativamente. Le hará creer que es mejor de lo que pensaba y mejor que el resto de participantes en el mercado. En ese momento correrá el riesgo de perder su disciplina.

—

Una cosa que me ha enseñado mi experiencia es la importancia de desarrollar la habilidad de reaccionar rápidamente ante los cambios que puede presentar el mercado. Esto es muy fácil en la teoría y muy complicado de llevarlo a la práctica; sólo la experiencia nos dará esta virtud. Para cuando el trader se quiere dar cuenta de cómo va a ir la operación tras unos minutos de duda, probablemente ya sea demasiado tarde.

—

Existe una contradicción interna en el trading. En primer lugar, usted debe pensar que es lo suficientemente astuto como para realizar esta difícil tarea, debe tener una elevada confianza en sus posibilidades. Por otro lado, debe ser muy humilde para llegar a ser un buen trader. ¡Qué gran contradicción!

—

El buen trading proviene de la experiencia y la experiencia proviene del mal trading.
Todos aprendemos a base de perder dinero. Lo único que necesitamos es suerte para aprender lo necesario antes de perderlo todo.

—

Las tendencias suelen persistir... hasta que dejan de hacerlo. Y para eso creó Dios los *stops*.

67. GUPPY, DARYL

Daryl Guppy es un analista técnico independiente australiano que aparece con frecuencia en la CNBC Asia. Es formador de traders, locutor, comentarista y empresario. Su empresa, Guppytraders.com, con oficinas en Australia, Singapur y Pekín, proporciona educación y preparación a traders de todo el mundo. Es director de Pty Ltd y RCG Events y autor de *Guppy Trading: Essential Methods for Modern Trading*.

Los traders novatos tiran el dinero al mercado esperando recibir algún beneficio. Los traders ganadores tienen un plan completo antes de abrir cualquier posición. Mediante la fusión de la gestión monetaria y la gestión del riesgo y mediante la planificación de las operaciones, dejamos a un lado nuestras emociones e intuición y damos paso a una operativa ganadora en el largo plazo.

68. HAMILTON, WILLIAM PETER

William Peter Hamilton (n. 1867-† 9 de diciembre de 1929) editor de *The Wall Street Journal*, asumió la dirección editorial en 1902 tras la muerte de su amigo Charles Henry Dow. Fue un gran defensor de la Teoría de Dow. En 1922 publicó *The Stock Market Barometer*.

Los cementerios de Wall Street están llenos de inversores que acertaron en sus primeras operaciones.

69. HARDING, RICHARD

Experto en servicios financieros, Richard Harding acumula más de treinta y cinco años de experiencia. Trabajó como director de renta fija en Soros Fund Management, fue operador sénior en Deutsche Bank y vicepresidente de desarrollo de negocios de alto valor neto de Wells Fargo. Actualmente desempeña su trabajo en Merrill Lynch.

El stop de protección es como un semáforo rojo. ¡Puede saltárselo, pero no sería prudente! Si atraviesa la ciudad saltándose cada semáforo en rojo, no es probable que llegue a su destino sano y salvo.

70. HARRIS, SUNNY

Sunny Harris ha estado operando desde 1981. Es una programadora informática y matemática, trader profesional y presidenta de Sunny Harris & Associates, Inc.

En 1994 fundó el sitio web MoneyMentor.com, desde el que imparte seminarios y consultoría privada. Es autora de varios libros, entre los que destacan *Trading 101: How to Trade Like a Pro* y *Trading 102: Getting Down to Business*. En sus seminarios enseña cómo ganar al mercado a través del trading.

Me gusta la filosofía japonesa, por la que te haces preguntas en lugar de buscar las respuestas. Cuantas más preguntas puedas formular mejor. Las respuestas vendrán siempre a continuación.

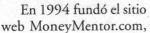

Conozco a muy pocos traders cuyo único objetivo sea hacerse ricos y que realmente tengan éxito en el mercado.

Para la mayoría de las tareas que la gente hace en sus vidas, antes de lanzarse suelen observar. Si alguien quiere bailar, lo primero es observar a alguien que baile bien. Sin embargo, el 80 por ciento de la gente que empieza a operar en el mercado no durará más de doce meses; algunos sitúan este porcentaje en el 90 por ciento. La causa está en que se lanzan al mercado sin haberse preparado.

71. HAYDEN, JOHN

John Hayden es director de Gestión de Riesgos de Directional Research & Trading Ltd., fondo de inversión con sede en Nueva York. Anteriormente, fue consejero delegado de PGM Refining Ltd., fundador y consejero delegado de Continental Security Products Inc., y trabajó para John Lind-Waldock como asesor sobre asignación de activos y control de riesgos.

Es autor de *Las 21 verdades irrefutables para invertir en bolsa* y de *RSI: The Complete Guide*.

Algunos operadores, normalmente los novatos, creen que es mejor incrementar el volumen de la posición después de una racha de pérdidas. Esto se debe a que creen que en ese momento estará a punto de materializarse una racha de ganancias. Sin embargo, la probabilidad de obtener una racha de ganancias es totalmente independiente de los sucesos anteriores.

La clave radica en la constancia y la disciplina. Prácticamente cualquiera puede elaborar una lista de reglas que sean por lo menos en un 80 por ciento tan adecuadas como las que enseñamos nosotros. Lo que no pueden hacer es imbuir a la gente confianza para respetar esas reglas incluso cuando las cosas se tuercen.

—

Tratar de interpretar por qué oscilan los precios es un ejercicio absolutamente inútil. Toda su atención debe estar concentrada en la evolución que siguen los precios en este momento.

—

¿Tiene usted idea de cuánto dinero se ha perdido por culpa de este razonamiento? El razonamiento de que no hay pérdidas hasta que se liquida la posición es falso; una pérdida sobre el papel es una pérdida absolutamente real.

—

Una de las creencias que tienen los traders novatos es que se puede predecir el mercado si previamente se comprende, de modo que tienen una sensación de falsa certidumbre.

—

Para llegar a ser un gran operador, lo primero que hay que hacer es asegurarse de aprender de todas las operaciones que se hacen en el mercado.

———

Todos los operadores sobresalientes tienen unas reglas muy estrictas para gestionar el riesgo. Sin una estrategia clara, su objetivo final queda muy perjudicado; con ella, su éxito estará casi asegurado.

———

La disciplina aumenta espectacularmente la velocidad a la que se realiza una tarea específica. Esto se debe a que no hay debate interno ni dudas.

———

La mayoría de las personas consiguen disciplina mediante la repetición continuada de una determinada tarea.

———

Estadísticamente, el 90 por ciento de los inversionistas pierden su capital de inversión en un plazo de doce meses, pero el 10 por ciento incrementa su capital.

———

El temor es el motivo de que el 99 por ciento de los nuevos operadores acabe renunciando a sus intentos por operar en el mercado.

———

La verdad es que todos los operadores ven los mismos precios; sin embargo, su percepción de lo que significan esos precios es diferente.

———

A los operadores movidos por el ego les produce un placer infinito mostrar al resto del mundo su habilidad detectando el punto mínimo o el punto máximo de un mercado.

———

El motivo por el que no voy nunca a predecir la evolución del mercado, sino que voy a centrarme en las probabilidades, es que si hago una predicción estaré poniendo una cierta cantidad de energía emocional en la previsión, y mi ego empezará a estar implicado.

———

La inmensa mayoría de los operadores reacciona ante una pérdida con emociones negativas, habitualmente con ira. Esto se debe a que el mercado les ha hecho equivocarse y a que sus creencias no han sido ratificadas.

———

El mercado nunca le hace nada a nadie. Usted y sus operaciones le son totalmente indiferentes. Como operador, usted sólo compite contra usted mismo. Para llegar a convertirse en el operador que usted desea ser tiene que controlar todas sus emociones y tiene que cambiar las creencias que le limitan.

———

Los beneficios constantes están originados por creencias válidas, no por el conocimiento del mercado.

———

Los operadores se enfrentan constantemente a un mercado que les exige que abran o cierren posiciones cuando sus emociones les indican que hagan otra cosa.

———

Hasta que lleve por lo menos un año, y mejor más, invirtiendo, es preferible que pase por alto todos los pensamientos intuitivos relativos a la entrada o salida de un mercado.

———

El principal obstáculo que tendrá que salvar para hacer operaciones rentables de manera constante es su ego incontrolado. Su ego siempre querrá indicar al mercado la dirección que debe seguir; nunca estará dispuesto a relajarse y seguir la dirección marcada por el mercado.

———

Con disciplina siempre podrá operar aplicando sus reglas. Sin disciplina será incapaz de controlar su ego, de elaborar creencias que aumenten su capacidad, de tener fe y de desarrollar confianza en sus capacidades.

—

La principal responsabilidad de un operador consiste en mantener un punto de vista imparcial que le lleve a adoptar decisiones no emotivas y no impulsivas.

—

Los operadores novatos se centran en cuánto dinero pueden ganar y en cuánto dinero pueden perder. Los operadores con experiencia se centran en todas las etapas necesarias para obedecer religiosamente su metodología.

72. HENDLIN, STEVEN J.

Steven J. Hendlin es un veterano psicólogo clínico con más de treinta años de experiencia en la psicología. Autor de varios libros, entre ellos *El inversor online*, y de cientos de artículos y columnas de opinión, algunos de los cuales se pueden leer en la web hendlin.net, es miembro de la Asociación Americana de Psicología.

Todos suponemos que vamos a sentirnos más cómodos con más información, pero para algunos eso no es cierto. En realidad, se angustian más cuando tienen más información, porque ésta sólo sirve para crear más confusión e inseguridad en estas personas.

—

La apertura de los mercados es un pésimo momento para que los especuladores intenten lanzarse a comprar acciones. En los círculos de traders se utiliza la frase hecha de que esa primera hora es «la hora de los aficionados».

La pasión por aprender y por desarrollar la capacidad de la propia persona es admirable y debe ser motivada; pero debemos asegurarnos de que los mercados no nos absorban hasta el punto de no poder mantenerlos dentro de la perspectiva de las otras actividades de la vida.

73. HENRY, JOHN W.

John William Henry (n. Quincy, Illinois, 13 de septiembre de 1949) es un empresario e inversor estadounidense. Empezó especulando con el maíz, el trigo y la soja. En la década de los setenta desarrolló sistemas de tendencia que le proporcionaron miles de millones de dólares. Hizo gran parte de su fortuna con el *hedge fund* J.W. Henry & Company. Ya retirado y multimillonario, es propietario de The Boston Globe, los Boston Red Sox y el Liverpool Football Club, y copropietario del Roush Fenway Racing. Su fortuna según *Forbes* asciende a 2.200 millones de dólares.

No creo que sea la única persona que no pueda predecir el futuro de los precios. Nadie consistentemente puede predecir nada. Los precios, no los inversores, predicen el futuro. A pesar de ello, los inversores esperan o creen que pueden predecir el futuro, o que alguien más puede hacerlo.

Lo único que tenemos que hacer es seguir tendencias y aprovecharnos del dinero que pierden todos los pequeños inversores que piensan en predecir el futuro.

—

Los mercados son las expectativas de las personas, y estas expectativas se manifestan en las tendencias de los precios.

74. HILL, JOHN

John R. Hill es el fundador y presidente de la revista *Futures Truth*, que acaba de cumplir su 30º aniversario, conferenciante e invitado habitual en el canal de televisión CNBC.

En 1984, para desenmascarar a gurús y charlatanes que vendían sistemas automáticos ineficaces por miles de dólares y con el objetivo de desvelar la verdad sobre estos robots, desarrolló el software Excalibur para testear y evaluar los sistemas de trading y creó *Futures Truth* para publicar sus resultados. Hill es también autor, junto con sus socios George Pruitt y Lundy Hill, del libro *The Ultimate Trading Guide*.

Más del 80 por ciento de los traders y especuladores pierden dinero. Se han utilizado incorrectamente los ordenadores para mostrar estadísticas de unos hipotéticos rendimientos. Un sistema de trading no puede ser diseñado por un ordenador; debe basarse en una interpretación razonable del gráfico y de la oferta y la demanda.

Recuerde que el riesgo es absolutamente lo único que se puede controlar. Algunos traders arriesgan del 1 al 5 por ciento del capital total por operación.

——

Si usted tiene un sistema de trading que no funciona en la mayoría de los mercados yo sospecharía de ese sistema.

75. HITE, LARRY

Larry Hite es un trader y gestor de *hedge fund* con más de treinta años de experiencia. Comenzó como operador de bolsa en 1968. Después de trabajar varios años como bróker de futuros en una firma de inversión, en 1981 cofundadó la Mint Investment Management Company. Se retiró como gestor del fondo en 1994 y posteriormente pasó a ser director de Hite Capital LLC.

Basando su estrategia en controlar el riesgo de una forma exhaustiva, desde sus inicios Mint ha registrado un beneficio anual del 30 por ciento, obteniendo en su peor año un 13 por ciento, y en el mejor, un 65 por ciento.

Si discutes con el mercado, perderás.

—

Tengo dos reglas básicas sobre ganar en el trading y en la vida: (1) si no apuestas, no puedes ganar, y (2) si pierdes todas tus fichas, no puedes apostar.

—

Honestamente no veo mercàdos. Sólo veo riesgo, rentabilidades y dinero.

———

A lo largo de mi carrera financiera he sido testigo de un gran número de casos de personas arruinadas por no haber prestado la suficiente atención al riesgo. Si no controlas el riesgo, acabará con tu dinero.

———

Es increíble lo rico que puedes hacerte por ser imperfecto.

———

La cuestión es que, como las personas no cambian, si se emplean métodos suficientemente rigurosos para que el conocimiento retrospectivo no distorsione los resultados es posible probar los sistemas y ver qué resultados habrían obtenido en el pasado para tener una idea bastante aproximada de cómo van a funcionar esos sistemas en el futuro. Ésa es nuestra ventaja.

———

La tercera cosa que hacemos para reducir el riesgo es diversificar. Lo hacemos de dos maneras. Primero, probablemente operamos más mercados en el mundo que cualquier otro mánager. Segundo, intentamos no usar un sistema de una sola apuesta. Para proveer balance, usamos montones de sistemas desde el corto plazo al largo plazo.

———

Cuando la volatilidad de un mercado llega a ser tan grande... dejaremos de operar ese mercado.

———

Cuando me encuentro con otros traders y empiezan a intercambiar batallitas sobre diferentes operaciones, yo no tengo nada que decir. Para mí, todas mis operaciones son iguales.

———

El respeto al riesgo no es sólo una cuestión del trading; se aplica a cualquier tipo de negocios.

76. HORNER, RAGHEE

Raghee Horner es una aclamada trader de forex y conferenciante con más de veinte años de experiencia, creadora de Raghee.com. Habitualmente publica sus análisis y comentarios en Auto Chartist, Trading Markets, PitNews.com yEZ2Trade Software. Ofrece cursos en los que imparte su propia técnica de análisis y estrategias de inversión. Es autora de varios libros, entre los que destacan *Trading en el Forex para unas ganancias máximas* y *Thirty Days of Forex Trading*.

Deje a los gráficos el trabajo de indicarle sus puntos de *stop-loss* y sus objetivos de beneficios.

—

Si la relación riesgo/oportunidad no le parece buena, es que su contexto de trading tampoco es bueno.

—

Implicarse emocionalmente en una operación es la razón que hace que nos cueste vender una posición perdedora.

———

Miedo y codicia son los motores del mercado, dicho de otra forma, es la emoción lo que crea el movimiento.

———

Los indicadores solamente deben utilizarse como herramientas de confirmación. Dado que mis configuraciones de trading (setup) se basan en configuraciones de precio o gráficos.

———

Las cinco etapas por las que pasa una persona enfrentada a una pérdida o a un luto son la negación, la cólera, la negociación, la depresión y la aceptación.

———

Aprendí la paciencia y comprendí lo que oía a los grandes traders cuando decían que era necesario dejar que una operación vaya hacia usted.

———

El trading consiste simplemente en sacar partido a los máximos y a los mínimos de los mercados, de sus subidas y de sus caídas.

———

La piedra angular sobre la que se apoya mi estilo de trading puede resumirse fácilmente en dos etapas fáciles: (1) Encuentre la tendencia: corto plazo y largo plazo; (2) Encuentre los niveles potenciales de inversión dentro del marco de la tendencia.

——

Una posición la forman tres puntos: (1) Una entrada; (2) Objetivos posibles para recoger sus beneficios; (3) Niveles de venta de protección potenciales.

——

Establecer una posición quiere decir lo que quiere decir. Seguimos un plan de acción bien preciso con la esperanza de poder producir un resultado predecible.

——

No podemos hablar de trading sin hablar de psicología. Ambos están muy imbricados ya que, cuando tenemos capital invertido en el mercado, este único hecho genera emociones que debemos tener en cuenta.

——

¿Sabe cuáles son las últimas palabras de cualquier trader que pierde? «No puedo salir ahora, ¡he perdido demasiado!»

——

El apalancamiento sólo sirve para acelerar sus
ganancias y sus pérdidas.

—

No corra nunca detrás de una posición que ha dejado
escapar.

—

Contrariamente a una opinión de sobra extendida, una
posición de trading puede durar dos minutos, dos
horas o dos años.

—

Nuestro ego se engancha a la decisión que tomamos.
Es nuestro ego el que quiere que tengamos razón.

—

La peor operación que existe es aquélla para la cual no
haya respetado sus reglas.

—

Dediquemos tiempo a observar la anatomía de una
operación en la que se siguen escrupulosamente sus
reglas y que no evoluciona tal y como estaba
previsto.

—

Son los *stops* de protección los que salvan el pellejo del trader: es necesario saber admitir haberse equivocado y saber pasar a otra cosa para sobrevivir en trading.

—

El objetivo del trading es encontrar una metodología que le colocará en posición en el momento correcto y, más importante aún, que también le sacará de la posición en el momento correcto.

77. HOSTETTER, AMOS BARR JR.

Amos Barr Hostetter Jr. (n. Nueva Jersey, 12 de enero de 1937) es un empresario estadounidense, fundador de Continental Cablevision Inc., empresa dedicada al negocio de la televisión por cable. En 2015 ocupaba la posición 209 en la lista Forbes de las personas más ricas del mundo, con un patrimonio estimado de alrededor de 3.100 millones de dólares.

Nunca sabemos qué operaciones serán ganadoras, el problema surge cuando pensamos que lo sabemos.

—

Olvida tus operaciones ganadoras, y sobre todo olvida tus operaciones perdedoras con mayor rapidez.

—

Cuídese de las pérdidas que los beneficios ya se cuidarán por sí mismos.

78. ICAHN, CARL

Carl Icahn es un magnate de las inversiones y uno de los hombres más ricos de Estados Unidos. Saltó a la fama en Wall Street en los años ochenta, comprando empresas no rentables. En 1985 adquirió la Trans World Airlines (TWA) a través de un gran préstamo, para después trocearla y venderla, lo que le acarreó fama de depredador. Su táctica más habitual es obtener la participación minoritaria en la empresa, que cotiza en la bolsa de valores, exigir un puesto en el consejo de administración y empezar a actuar agresivamente en interés de los accionistas.

Presidente de Icahn Enterprises L.P., en 2000 su fondo obtuvo un rendimiento del 840 por ciento. Su fortuna asciende a 21.700 millones de dólares, según *Forbes*.

Algunas personas se hacen ricas estudiando la inteligencia artificial. Yo hago dinero estudiando la estupidez natural.

Cuando la mayoría de inversores, incluidos los profesionales, están de acuerdo en algo, normalmente están equivocados.

—

Uno aprende de este negocio: si quiere un amigo, cómprese un perro.

79. INSANA, RON

Ron Insana (n. 31 de marzo de 1961) es un periodista económico, analista y comentarista de la CNBC. Cubre los temas económicos y del mercado más actuales y es el editor de *Insana's Market Intelligence*, un boletín mensual de inversión. Fue director de SAC Capital Advisers y presidente de Insana Capital Partners. Considerado uno de los cien periodistas más influyentes del siglo xx, fue nominado a un Emmy por su papel en la cobertura de los atentados del 11-S en la NBC.

Jimmy Rogers, conocido por el sobrenombre de *Investment Biker*, es un excelente inversor pero es un pésimo trader. Afortunadamente, un inversor puede estar en lo cierto pero en el momento equivocado, mientras que un trader que esté en lo cierto pero en el momento equivocado no durará mucho.

—

La única diferencia que existe entre la posición larga y la posición corta es que en una posición corta una acción que cotiza a 10 dólares si cae sólo puede llegar a cero, mientras que si sube puede llegar hasta 30, 40, 50. En el primer caso nuestro beneficio máximo será de 10 dólares por acción, mientras que en el segundo la pérdida es ilimitada.

80. JONES, RYAN

Ryan Jones es el fundador de Smart Trading. Se inició en el trading de opciones cuando tenía dieciséis años. En numerosas ocasiones ha realizado demostraciones en tiempo real operando en los mercados llegando a doblar su capital. Hoy en día está especializado en la administración del dinero y ha desarrollado una fórmula de gestión del dinero respaldado por el legendario trader Larry Williams. Autor del libro *The Trading Game: Playing by the Numbers to Make Millions*, es además un conferenciante de éxito.

El trading es un juego de riesgo y recompensa. También es un juego que no perdona a aquellos que se acercan sin conocer las reglas. Para aquellos que se acercan con la mentalidad de hacerse ricos de forma rápida el fracaso está garantizado.

—

Los traders creen que no necesitan incorporar las estrategias de *money management* en su operativa hasta que estén ganando dinero. Necesitan probar un sistema de trading y ver si funciona antes de aplicarle una estrategia de gestión monetaria. Esto puede ser un error muy costoso en términos de coste de oportunidad.

∎

Vivimos en una época dominada por el «Sé lo que quiero y lo quiero ahora», por la comida rápida y el estrés. Esta sociedad es egocéntrica y en muchas ocasiones pondera la ley de la selva. La mayoría de los que se acercan al trading lo hacen con una mentalidad de hacerse ricos de forma rápida y con el menor esfuerzo posible.

∎

Desde mi experiencia, el 90 por ciento de los que empiezan a operar acabarán esta actividad con una pérdida neta. Salvo un repentino golpe de suerte, nadie ganará una fortuna en los mercados de derivados sin una estrategia de *money management* eficiente.

∎

Toda vez que sabemos que la gestión monetaria es sencillamente un juego de números y que lo único que necesitamos es un sistema con esperanza matemática positiva, el trader puede parar en su búsqueda del Santo Grial.

—

Ningún otro campo de conocimiento del trading o la inversión puede multiplicar los dígitos de una cuenta de forma tan rápida como si utilizamos la gestión monetaria.

—

Ninguna estrategia de gestión monetaria podrá matemáticamente convertir un sistema de trading perdedor en un sistema de trading ganador.

81. KAEPPEL, JAY

Jay Kaeppel es un trader con más de dos décadas de experiencia, estratega de trading estacional. Ha desarrollado sistemas de trading en mercados, opciones, futuros y para fondos de inversión. En la actualidad trabaja en Alpha Investment Management Inc, y en la web jayonthemarkets.com. Es autor de varios libros sobre trading: *The Four Biggest Mistakes in Option Trading* (1998), *The Four Biggest Mistakes in Futures Trading* (2000), *The Option Trader's Guide to Probability, Volatility and Timing* (2002) y *Seasonal Stock Market Trends: The Definitive Guide to Seasonal Stock Market Trading* (2009).

Los cuatro mayores errores del trading en futuros son: (1) la falta de un plan de trading, (2) el excesivo apalancamiento, (3) la incapacidad para controlar el riesgo y (4) la falta de disciplina.

82. KAUFMAN, PERRY

Perry J. Kaufman (Nueva York, 17 de octubre 1943) es un científico y trader sistemático estadounidense, también escritor y empresario. Trabajó en los programas espaciales de la NASA y en 1971 se introdujo en los mercados financieros. Se le considera un experto en el desarrollo de programas de trading totalmente algorítmicos.

Si usted es capaz de comportarse racionalmente cuando el resto de la gente pierde la cabeza, esto significa que, probablemente, no ha escuchado las noticias.

—

Si usted no ejecuta todas las señales del sistema de trading, no espere obtener los resultados del sistema.

—

Usted ha de decidir cuál es la filosofía de trading en la que usted se sienta cómodo.

—

Si usted ha estudiado el perfil del rendimiento de una estrategia tendencial, habrá observado que tiene muchas más pérdidas que ganancias, por lo que los beneficios de las operaciones ganadoras tienen que ser más grandes que las pérdidas. Estoy convencido pues de que es necesario un gran, aunque raro, beneficio para ganar.

—

Todos los métodos son rentables si el mercado está en tendencia, pero si no lo está entonces ninguno de ellos lo es.

—

Cuando la volatilidad es muy alta es mucho mejor salir.

—

He desarrollado todo tipo de sistemas, rápidos y lentos, la mayoría han funcionado y sólo unos pocos lo han hecho mal pero, finalmente, prefiero operar con la tendencia.

—

Me gusta el trading discrecional pero, según lo veo, funciona por rachas. A veces puedo ganar dinero durante semanas pero luego se apaga la chispa y me parece que no puedo hacer nada bien, es agotador. Como tengo la suerte de ser bueno en matemáticas y con los ordenadores, me he dado cuenta de que soy feliz siendo la tortuga y no la liebre. Los sistemas técnicos no son perfectos pero van bien a largo plazo y son más previsibles. Eso es suficiente para mí.

—

Opere siempre con el mismo riesgo en cada posición. Es decir, para las acciones utilice la misma inversión para cada posición. Simplemente divida el total de la inversión (por ejemplo, 10.000 dólares) por el precio de las acciones para obtener el tamaño de la posición.

———

En general, si usted ha desarrollado un sistema que no muestra una racha de grandes pérdidas, habrá hecho algo que está mal.

———

Los traders que se inician deben esperar perder dinero como parte del proceso de iniciación. Deben entender que pueden ganar dinero si operan de manera correcta, pero la emoción inicial del trading a menudo les lleva a precipitarse. Mi primera regla es que tengan un sistema. No tienen por qué ser sistemáticos pero necesitan reglas claras.

———

Cuando empecé en la década de 1970 se podía ganar dinero con un sistema de medias móviles de diez días. Con los años el ruido ha aumentado y es necesario negociar tendencias cada vez más lentas, así como acostumbrarse a capturar una porción menor del movimiento.

———

Si usted no puede cortar una operación y aceptar una pequeña pérdida, nunca será un trader.

83. KEYNES, JOHN MAYNARD

John Maynard Keynes (n. Cambridge, 5 de junio de 1883-† Firle, Sussex, 21 de abril de 1946) fue un economista británico cuyas ideas —la denominada economía keynesiana— tuvieron un gran impacto en las políticas fiscales y económicas de muchos gobiernos. Recomendó una política intervencionista para mitigar los efectos adversos de recesiones económicas y las depresiones, teniendo gran influencia en las políticas del New Deal, tras la Gran Depresión. Es uno de los padres de la macroeconomía moderna y probablemente sea el economista más influyente del siglo XX. En 1944 encabezó la delegación británica en la Conferencia de Bretton Woods, en la que se sentaron las bases del Banco Mundial y del FMI. Fue además un gran hombre de negocios. Algunas de sus obras más destacadas son *Breve tratado sobre la reforma monetaria* y especialmente *Teoría general del empleo, el interés y el dinero*.

Los mercados pueden mantener su irracionalidad más tiempo de lo que uno puede mantenerse solvente.

———

Cuando las circunstancias cambian, cambio de opinión. ¿Y usted qué hace, señor?

———

La dificultad no reside en las nuevas ideas, sino en escaparse de las viejas.

———

Invertir en los mercados es similar a participar en un concurso de belleza en un periódico, en el que debemos seleccionar las seis caras más bonitas sobre cientos de modelos, siendo el ganador del concurso aquel cuya elección se aproxime más a la elección media del resto de los participantes.

———

No hay nada más desastroso que una política de inversión racional en un mundo irracional.

———

Si yo te debo una libra esterlina, tengo un problema; pero si te debo un millón, el problema es tuyo.

———

Prefiero estar aproximadamente en lo cierto que exactamente equivocado.

▬

Los hombres prácticos que se creen libres de toda influencia intelectual suelen ser esclavos de algún economista difunto.

▬

Sólo hay dos voces a las que siempre se debe prestar atención: la de los locos y la de los mercados.

84. KING, PAUL

Paul King es un trader de origen británico que, tras cinco años dedicado al análisis financiero en Wall Street, decidió dejar un puesto de trabajo y un sueldo seguro para hacer trading a tiempo completo. Creó su propia compañía, PMKing Trading LLC, en 2002, en la que utiliza sus propios métodos de inversión para los clientes. En su libro *Haz del trading un negocio rentable* nos narra su experiencia, tanto profesional como familiar, durante este duro camino y reconoce que la única vía para el éxito es desarrollar estrategias de trading cuantitativas.

El trading es un negocio relativamente simple de empezar. Sólo se necesita dinero en efectivo y una cuenta de corretaje. Sin embargo, es difícil tener éxito. No hay garantía de salario o beneficios, y usted puede terminar trabajando todo el año para nada (o menos que nada si tiene una pérdida).

La construcción de cualquier negocio con éxito
es trabajo duro, buena planificación
y más trabajo duro.

85. KIYOSAKI, ROBERT

Robert Toru Kiyosaki (n. Hilo, Hawai, 8 de abril de 1947) es un inversor, empresario, orador motivacional y escritor. Logró notoriedad internacional con *Padre rico, Padre pobre*, un best seller que derivó en una serie de libros motivadores. Tres de sus 18 libros publicados, de los que lleva vendidos en total más de 26 millones de ejemplares, han estado en la lista de 10 superventas simultáneamente en *The Wall Street Journal*, *USA Today* y *The New York Times*.

Los perdedores evitan el fracaso. Y el fracaso convierte a los perdedores en ganadores.

—

La mayoría de las personas no se dan cuenta de que lo importante en la vida no es cuánto dinero ganas, sino cuánto dinero conservas.

—

El activo más poderoso con el que contamos es nuestra mente.

—

Los ganadores no tienen miedo de perder. Pero los perdedores sí.

—

Las dudas son caras.

—

Querer evitar errores hace estúpida a la gente y pretender tener razón a toda costa nos deja obsoletos.

—

El fracaso inspira a los ganadores y el fracaso derrota a los perdedores. Ése es el secreto más grande de los ganadores. Ése es el secreto que los perdedores no conocen.

—

Muchos problemas financieros importantes son causados por seguir a la multitud y tratar de mantener el paso de los demás.

86. KLARMAN, SETH

Seth Klarman (n. Nueva York, 1957) es un multimillonario estadounidense, fundador en 1982 y director desde entonces de Baupost Group, con sede en Boston. Es autor del libro sobre *value investing* titulado *Margin of Safety: Risk-Averse Value Investing Strategies for the Thoughtful Investor*.

El momento más beneficioso para ser un inversor de valor es cuando el mercado está cayendo.

87. KLEINFIELD, SONNY

Tras su paso por las universidades de Clark y Nueva York, Nathan R. Kleinfield (n. Fair Lawn, Nueva Jersey, 1950), su verdadero nombre, fue reportero de *The Wall Street Journal* durante cinco años. En el curso de su trabajo como periodista, pasó meses entre los traders e inversores de diferentes firmas conociendo sus historias y su forma de trabajar para plasmarlos posteriormente en el libro *The Traders*. Es autor de otros libros y ha publicado artículos en *Atlantic Monthly*, *Harper's* y *Esquire*, entre otros.

La señal inequívoca de la ludopatía está en la imposibilidad de resistirse ante la llamada del juego. Si cree que está operando en exceso y sus resultados son bastante pobres, pruebe a dejar de operar durante un mes. Esto le dará la oportunidad de revisar su operativa. Si la necesidad de acción es tan elevada que no puede dejar de operar durante un mes, entonces habrá llegado el momento de visitar la asociación de ludópatas más próxima a su domicilio o de seguir los principios de Alcohólicos Anónimos.

88. KNIGHT, SHELDON

Sheldon Knight es presidente de K-Data Inc., una compañía de procesamiento de datos financieros en Sunnyvale, California. Con más de tres décadas de experiencia en el análisis informatizado de acciones y futuros, ha pasado años perfeccionando sus métodos para llegar a ser consistente.

Los *stops* fijos limitan la pérdida en una determinada operación pero van a incrementar el número de operaciones con pérdida. Cuanto más ceñido esté el *stop*, mayor será la probabilidad de cerrar las posiciones, por lo que se incrementan las rachas de operaciones con pérdida.

89. KOSTOLANY, ANDRÉ

André Kostolany (n. Budapest, 9 de febrero de 1906-† París, 14 de septiembre de 1999) fue un especulador y experto en Bolsa ampliamente reconocido a nivel mundial, además de un prestigioso divulgador. Fue conferenciante, columnista y autor de varios libros de economía e inversión. Entre sus libros destacan: *El fabuloso mundo del dinero y la bolsa* y *Estrategia bursátil*.

El especulador de Bolsa vive casi una auténtica embriaguez cuando el dinero se gana con ideas que han demostrado ser válidas contra la opinión de los demás.

▬

Mis experiencias de los últimos treinta años confirman que sólo puede llegarse a millonario en poco tiempo mediante una de estas tres posibilidades: (1) especulando (con bienes inmuebles, valores, mercancías varias, etc.), (2) contrayendo matrimonio con una persona rica, y (3) desarrollando una idea útil en el campo de la industria o el comercio.

▬

Tener dinero en el bolsillo y al mismo tiempo el propósito de que suban las bajas cotizaciones de la Bolsa es el mismo placer que tener apetito y encontrarse de camino a un restaurante.

———

Aquí todo depende de una sola cosa: si hay más papel que tontos o más tontos que papel.

———

A la Bolsa hay que amarla ardientemente, pero tratarla con frialdad.

———

Las cosas suceden en primer lugar de manera distinta a como se habían pensado: dos más dos no son cuatro, sino cinco menos uno.

———

No hay que correr nunca tras un tranvía y una acción. ¡Paciencia! La próxima llega con toda seguridad. No hay que seguir los acontecimientos con los ojos, sino con la cabeza.

———

Sube la Bolsa, acude el público; baja la Bolsa, el público se marcha.

———

Las noticias falsas son peligrosas, pero una falsa exposición de noticias correctas es todavía más peligrosa.

▬

Lo que todo el mundo sabe en la Bolsa a mí ya no me interesa.

▬

No hay un boom que no tenga su crisis subsiguiente, ni crisis sin boom previo.

▬

Antes de haber llegado a comprender e incluso dominar un poco la Bolsa, es preciso haber pagado el aprendizaje con mucho dinero.

▬

Timing es *Money*.

▬

El que en la Bolsa se conforma con poco, no es digno de ganar mucho.

▬

Hay que tener miedo siempre, pero nunca aterrarse.

▬

El especulador, como el cocodrilo, debe dormir con los ojos abiertos.

———

En sus reacciones, la Bolsa se comporta con frecuencia como el borracho: llora con las buenas noticias y se ríe de las malas.

———

En la Bolsa todo es posible, incluso lo lógico.

———

En la Bolsa no se pueden prever los acontecimientos; sólo adivinarlos.

———

Se puede ganar, se puede perder, pero recuperar lo perdido es imposible.

———

Sólo pueden entender los problemas de la Bolsa aquellos que los han vivido en sus propias experiencias.

———

Cada país tiene los profesionales de Bolsa que se merece.

———

Tener ideas no basta; realizarlas es más importante, pero para ello hace falta valor.

———

Los profesionales de la Bolsa presentan cada noticia del modo que mejor les va.

———

En la Bolsa, una verdad a medias es una mentira completa.

———

El jugador de Bolsa es el táctico; el especulador, el estratega. Cuando uno se traslada al terreno del otro, no tendrá éxito en ninguno de ellos.

———

La lógica de Bolsa no tiene nada que ver con la lógica cotidiana.

———

La lectura e intepretación de los gráficos es una ciencia que busca inútilmente lo que el saber consigue.

———

No sé lo que pasará mañana, pero sé lo que ocurrió ayer y lo que ocurre hoy, y eso ya es mucho.

———

Especular no es un juego, sino una medida de
protección de la propia fortuna.

■

No es necesario saberlo todo (balances, dividendos,
etc.), sino entenderlo todo.

■

Lo que dijo Moltke con respecto a la guerra puede
aplicarse a la Bolsa: se precisan las cuatro G (*Geld*,
Gedanken, Geduld y Glück: dinero, ideas, paciencia y
suerte).

■

El agente de bolsa ama al jugador, pero nunca le
concedería la mano de su hija.

■

Sin experiencia es muy difícil conservar los nervios en
la Bolsa.

■

Con frecuencia en la Bolsa hay que cerrar los ojos para
intentar ver mejor.

■

¿Cómo se vuelve uno especulador? Como una joven inocente llega a la más antigua de las profesiones de la humanidad: se comienza por curiosidad, se continúa por diversión y se acaba haciéndolo por dinero.

—

Cuando dos profesionales de Bolsa se saludan, no se preguntan cómo están, sino a cómo se cotiza el dólar.

—

Quien no tiene las acciones cuando la cotización retrocede, tampoco las tendrá cuando suba.

—

Nada es más fácil que vender valores al público cuando se le puede mostrar hasta qué punto han subido ya.

—

En la Bolsa sólo las pérdidas son positivas; las ganancias, una ilusión.

—

El conocimiento de la Bolsa es lo que queda una vez se han olvidado todos los detalles.

—

En la Bolsa, especulación es permanente improvisación.

—

La especulación en Bolsa es como una partida de póquer: cuando se tienen buenas cartas hay que ganar más de lo que se pierde cuando las cartas son malas.

———

El optimismo de la Bolsa puede transformarse en el mayor de los pesimismos en veinticuatro horas.

———

El jugador a la baja es despreciado por Dios porque trata de enriquecerse con el dinero de los demás.

———

Una antigua ley de los especuladores aconseja que cuando uno se pase toda la noche sin dormir a causa de una inversión en la Bolsa, debe librarse de ella inmediatamente.

———

No se puede determinar con exactitud si los cambios producen las noticias o las noticias provocan los cambios. Si las cotizaciones bajan por la razón que sea, la fantasía del público incuba de inmediato noticias imaginarias que provocan el pánico.

———

El juego seduce y, además, nos puede ofrecer la mayor de las satisfacciones: demostrar que tenemos razón contra todos y contra todo.

———

Muchos no necesitan el dinero para tenerlo, sino para enseñarlo.

———

Para muchos, el dinero significa poder y un estatus social elevado; les procura amigos, aduladores, alabanzas, y suele atraer a los parásitos.

———

Sobre un tonto rico se hablará siempre como de un rico, sobre un tonto pobre se hablará siempre como de un tonto.

———

En ninguna otra parte del mundo más que en la Bolsa se encontrarán tantas personas por metro cuadrado que viven por encima de sus posibilidades intelectuales.

———

Las mismas personas que poseen la habilidad necesaria para hacer mucho dinero muestran luego muchas limitaciones para poder disfrutarlo.

———

De muchos bolsistas puede decirse que gastan en su juventud lo que ganan en su vejez.

———

Para muchos, la Bolsa es un Montecarlo con música, pero hay que disponer de la antena adecuada para captar la melodía.

———

Franz Molnár, famoso escritor húngaro que no entendía nada sobre la Bolsa, definió una vez de manera punzante a un especulador a la baja: «Uno que se abre a sí mismo una fosa en la que caen otros».

———

No hay ningún loco del cual no se pueda aprender algo que pueda encajar en el mosaico de una reflexión sobre la Bolsa.

———

Cuando se trata de dinero sólo hay una frase hecha: «¡Más!»

———

Un alumno de uno de mis seminarios sobre la Bolsa me preguntó en cierta ocasión si yo estaría dispuesto a aconsejar a mi hijo que se dedicara a la especulación. «¡Ciertamente que no! —fue mi respuesta—. Si yo tuviera un hijo debería ser compositor. El segundo, pintor, y el tercero, periodista o escritor. Pero el cuarto tendría que ser necesariamente especulador, para poder mantener a sus hermanos.»

———

Tener ideas no basta; realizarlas es más importante,
pero para ello hace falta valor.

———

Los jugadores suelen nadar con la masa. No pueden
distanciarse de la tendencia predominante puesto que
son por sí mismos una molécula de la masa. Suelen
comprar porque su vecino compra y éste a su vez
compra porque también lo hace su vecino y asimismo
a la inversa, vende cuando su vecino vende. Estos
jugadores componen el 90 por ciento del público
bursátil.

———

Las palabras más útiles en la Bolsa son: quizá, según se
espera, posiblemente, podría ser, no obstante, a pesar,
ciertamente, yo creo, yo opino pero, posiblemente, me
parece... Todo cuanto se cree y dice está condicionado.

———

El 90 por ciento de los jugadores de Bolsa carecen de
ideas, por no hablar de reflexiones. Incluso los
jugadores en las carreras y las quinielas suelen tener
más ideas y motivaciones. La mayor parte de los
jugadores de Bolsa van ciegos con la masa.

———

Las reacciones psicológicas de masas son en la Bolsa como en la sala del teatro: uno bosteza y en breves instantes todos bostezan, uno tose y al poco tose toda la sala.

—

Es un desatino y hasta resulta perjudicial observar ininterrumpidamente las cotizaciones, calcular cuánto se ha perdido o se ha ganado. Cuando se está convencido de la certeza de la inversión realizada, hay que permanecerle fiel, ser firme y duro y tener paciencia.

—

Un jugador de Bolsa sin reflexión, argumentos y motivaciones es igual que el jugador de la ruleta. Se trata de un enamorado del azar.

—

Resulta de todo punto superfluo investigar la opinión del público, puesto que éste se suele dejar influir por el curso de las cotizaciones. Si las cotizaciones suben, el público siempre es optimista.

—

Un profesional serio de la Bolsa puede desilusionar a sus herederos, pero nunca a su banquero.

90. KOVNER, BRUCE

Bruce Stanley Kovner, exgestor de *hedge fund*, magnate de las inversiones y filántropo, está considerado uno de los mayores traders en divisas y mercados de futuros del mundo. Sólo en 1987 ganó más de 300 millones de dólares. Durante diez años ganó un promedio del 87 por ciento anual compuesto. Se retiró de Caxton Associates en 2011 tras 28 años en el *hedge fund* que cofundó. Su principal fondo de inversión, Global Caxton, obtuvo una rentabilidad media del 21 por ciento frente al 11 por ciento del SP500. En 2015 ocupaba el puesto 309 entre los hombres más ricos según la revista *Forbes*, con una fortuna estimada en 5.200 millones de dólares.

Coloca tus órdenes de *stops* en un punto en el que, si salta, te indicará que tu entrada era mala, y no en un punto definido por la máxima cantidad de dinero que estarías dispuesto a perder.

Michael Marcus me enseñó algo que es absolutamente imprescindible. Tienes que estar preparado para cometer errores de forma regular; no creas que hay algo malo en ello. Michael me enseñó a tomar una decisión, equivocarme, tomar otra decisión, equivocarme de nuevo, tomar una tercera decisión y doblar mi dinero.

——

Siempre que tomo una posición, determino mi máxima pérdida. Es la única forma de lograr dormir. Sé dónde voy a salir incluso antes de haber entrado. El tamaño de la posición vendrá determinado por mi *stop* y mi *stop* viene determinado en base a algo técnico.

——

Hay dos cosas absolutamente esenciales: debe usted tener confianza y tiene que estar dispuesto a cometer errores periódicamente; no tiene nada de malo.

——

El análisis técnico rastrea el pasado, no predice el futuro.

——

Los analistas fundamentales que dicen que no van a prestar ninguna atención al gráfico son como un médico que dice que no va a tomar la temperatura de un paciente. Por supuesto, eso sería una locura.

——

Intento no arriesgar más del 1 por ciento de mi cartera en cada operación individual. Y segundo, estudio la correlación de mis operaciones para reducir mi exposición.

91. LACALLE, DANIEL

Daniel Lacalle Fernández (n. Madrid, 1967) es vicepresidente sénior de Pymco. Economista neoliberal y gestor de fondos de inversión, es licenciado en Ciencias Empresariales por la Universidad Autónoma de Madrid y posee un posgrado por el IESE (Universidad de Navarra). Fue analista financiero en ABN Amor y gestor de carteras en el *hedge fund* Citadel y en Ecofin Limited. Durante cinco años fue votado entre los tres mejores gestores del Extel Survey, el ranking de Thomson Reuters, en las categorías de estrategia general, petróleo y eléctricas. Columnista en el diario digital *El Confidencial*, ha colaborado en *The Wall Street Journal* y en la CNBC. Es autor de *Nosotros los mercados*, *Viaje a la libertad económica*, *La madre de todas las batallas* y *Acabemos con el paro*.

El análisis y decisión de qué valores entran en la cartera es un proceso de descarte.

Compre un valor por lo que es, no por lo que al equipo directivo o a los bancos les gustaría que fuese.

—

Si compras lo mismo que están comprando otros, tendrás los mismos resultados que los otros. Es imposible tener mejor rentabilidad si no haces algo distinto a la mayoría.

—

Las recomendaciones son gratis, las pérdidas son suyas.

—

Hay valores baratos porque lo merecen. Cuidado con las trampas de valor.

—

Piense cuánto puede perder antes de pensar cuánto puede ganar.

92. LANE, GEORGE

George Lane (n. 1921-† 7 de julio de 2004) fue trader, autor, educador, conferenciante y analista técnico durante más de cincuenta años. Pasó a la historia como el creador del oscilador estocástico (también conocido como «estocástico de Lane»), que desarrolló junto a un grupo de operadores de futuros en Chicago. Este indicador es uno de los indicadores básicos utilizados en la actualidad entre los analistas técnicos del mundo.

Los fundamentales no eran una buena forma de obtener beneficios para nosotros y no lo han sido desde entonces. El análisis fundamental es un método totalmente inservible para analizar los mercados financieros.

———

El secreto para hacer dinero en las *commodities* es controlar el tamaño de sus pérdidas. Usted no tiene el control sobre el número de veces que perderá. Pero tiene el control sobre el tamaño de sus pérdidas.

93. LAURISTON LIVERMORE, JESSE

Jesse Lauriston Livermore (n. Shrewsbury, Massachusetts, 26 de julio de 1877-† Nueva York, 28 de noviembre de 1940) fue un legendario inversor de bolsa estadounidense, con una impresionante habilidad para ganar dinero, pero su punto débil era la incapacidad de mantener el capital. Se hizo famoso por ganar y perder varios millones de dólares durante las primeras décadas del siglo xx. Acabó suicidándose en 1940 prácticamente arruinado. Su forma de invertir y su vida se recogen en el clásico *Memorias de un operador de bolsa*, escrito por Edwin Lefèvre.

El hombre medio no desea que le digan si el mercado es alcista o bajista. Lo que desea es que le digan, de forma específica, qué determinado valor comprar o vender. Quiere algo por nada. No desea trabajar. Ni siquiera desea pensar.

Otra lección que aprendí pronto es que no existe nada nuevo en Wall Street. No puede haberlo porque la especulación es tan vieja como las montañas. Cualquier cosa que suceda en el mercado hoy, ha sucedido antes y sucederá otra vez.

—

Los mercados nunca están equivocados; las opiniones, a menudo.

—

Los valores se manipulan hasta el punto más alto posible, y después se venden al público en el descenso.

—

Cuando no tengo razón, sólo una cosa me convence de ello, y es perder dinero. Eso es especular.

—

En 1916 conseguí casi tres millones de dólares posicionándome alcista mientras duraba el mercado alcista y siendo bajista cuando comenzaba el mercado bajista. Como ya he dicho antes, una persona no tiene necesidad de casarse con un lado del mercado hasta que la muerte los separe.

—

Dicen que uno nunca se vuelve pobre tomando beneficios.
No, es cierto. Pero tampoco te haces rico tomando un
beneficio de cuatro puntos en un mercado alcista.

—

Uno tarda mucho tiempo en aprender las lecciones de
todos su errores. Dicen que todo tiene dos lados. Pero
el mercado de valores sólo tiene uno; y no se trata del
lado alcista o bajista, sino del lado correcto. Me costó
más retener ese principio general firmemente en mi
mente que la mayoría de frases más técnicas del juego
de la especulación de acciones.

—

Los tontos han intentado siempre conseguir algo a
cambio de nada, y la gran atracción de todos los
booms es siempre un instinto de juego elevado por la
avaricia y por un desmedido deseo de prosperidad.

—

Un hombre no jura lealtad eterna al lado alcista o
bajista de un mercado. Su único interés consiste en
estar en el lado correcto.

—

Algunas veces pienso que la especulación debe de ser un
negocio antinatural, porque observo que el especulador
medio lucha contra su naturaleza. La esperanza y el miedo
son inseparables de la naturaleza humana.

—

Los principios del éxito en la especulación de valores se basan en la suposición de que la gente, en el futuro, seguirá cometiendo los mismos errores que se cometieron en el pasado.

———

Las personas racionales actúan de forma irracional cuando tienen miedo, y la gente tiene miedo cuando empieza a perder dinero y por ello nuestra forma de razonar disminuye. Está dentro de nuestra naturaleza humana. No podemos rechazarlo. Debemos aceptarlo.

———

Los inversores, a diferencia de los especuladores, son los grandes jugadores. Tras hacer una apuesta, se aferran a ella y si la operación es perdedora se arriesgan a perderlo todo.

———

Los enemigos mortales del especulador son: la ignorancia, la codicia, el miedo y la esperanza.

———

Siempre he encontrado beneficioso el estudio de mis errores.

———

No hay nada como perder todo lo que tienes en este mundo para aprender lo que no debes hacer. Y cuando sabes lo que no tienes que hacer para no perder dinero, empiezas a aprender lo que haces para ganar. ¿Lo entienden? ¡Empiezas a aprender!

—

En la mayoría de los casos el objeto de la manipulación es, como ya dije, vender el valor al público, al mejor precio posible. No es sólo cuestión de vender, sino de distribuir. Obviamente, es mucho más conveniente que un valor esté en manos de mil personas, y no en manos de un solo hombre.

—

Hay muchos miles de personas que compran y venden valores especulativamente, pero el número de los que especulan con beneficios es pequeño. En cierto modo, el público está siempre «en» el mercado, por lo tanto, se puede decir que el público siempre sufre pérdidas.

—

Un hombre deber creer siempre en sí mismo y en su juicio si piensa ganarse la vida en este juego. Por eso es por lo que no creo en las advertencias. Si compro acciones según un pronóstico de Smith, debo venderlas por la misma razón. Dependo de él. Pero, ¿qué ocurre si Smith está de vacaciones cuando llega la época de la venta? No, señor, nadie puede ganar mucho dinero con lo que le dice otra persona.

—

Pienso que las personas necesitan la figura de un líder, necesitan que se les diga lo que hay que hacer y cómo hacerlo. Siempre se mueven como una masa, como una manada, ya que de esta forma se sienten más cómodos. Se sienten asustados si se mantienen fuera de la manada y nadie quiere quedarse fuera del grupo, siguiendo la teoría de la opinión contraria.

—

El reconocimiento de nuestros propios errores no debería beneficiarnos más que el estudio de nuestros éxitos. Pero en todos los hombres existe una cierta tendencia a evitar el castigo. Cuando asocias determinados errores con una paliza, no esperas a la segunda dosis, y, por supuesto, todos los errores cometidos en el mercado de valores te hieren en dos puntos débiles, el bolsillo y la vanidad.

—

El temor y la esperanza siguen siendo iguales que antes, no han experimentado cambios; por lo tanto, el estudio de la psicología del especulador es tan válido como antes.

—

Sé, por experiencia, que nadie puede darme un pronóstico, o una serie de ellos, que me haga ganar más dinero que el que ganaría con mi propia opinión.

—

No se puede afirmar que una ganancia sea segura hasta que no esté depositada en tu cuenta del banco.

—

En un mercado estrecho, en el que los precios no van a ninguna parte, sino que se mueven dentro de una gama estrecha, no tiene ningún sentido tratar de anticipar en qué sentido se va a producir el siguiente gran movimiento; hacia arriba o hacia abajo.

—

Observación, experiencia, memoria y matemáticas, de esto es de lo que debe depender el operador que busque el éxito.

—

Los corredores viven de las comisiones que obtienen del público, y por eso tratan de inducir al público a comprar valores sobre los cuales han recibido órdenes de venta del grupo interior o de los manipuladores.

—

El mayor enemigo del especulador es el aburrimiento interior. La esperanza y el miedo son inseparables de la naturaleza humana.

—

Los beneficios debemos conservarlos, pero las pérdidas debemos evitarlas y cortarlas de raíz desde el comienzo.

—

Es sorprendente el número de operadores
experimentados, que me miran con incredulidad
cuando les digo que cuando compro valores en un
ascenso me gusta pagar los precios más altos, y
cuando los vendo, los vendo al precio más bajo, o si no,
no los vendo.

———

El miedo hace que no consigas hacer en los mercados
todo el dinero que deberías.

———

Lo que hace que una persona gane o pierda dinero en
los mercados de la especulación es su forma de ver las
cosas.

———

Es Wall Street, los perros se comen a los perros, sin
ningún tipo de prejuicio.

———

El profesional se preocupa por hacer lo que tiene que
hacer, y no por ganar dinero, sabiendo que si se presta
atención a las demás cosas, los beneficios se cuidan de
sí mismos.

———

Entre todas las patochadas especulativas, la mayor es tratar de hacer la media en un juego de pérdidas. Venda siempre lo que le muestre una pérdida y mantenga lo que le muestre una ganancia.

—

La tendencia natural, cuando un valor se rompe, es venderlo.

—

En un mercado a la baja, siempre es inteligente ponerse a cubierto si se produce una desmoralización repentina.

—

Una persona puede saber lo que hay que hacer y a pesar de ello perder dinero si no lo hace con suficiente rapidez.

—

La experiencia me dice que no es muy acertado ir en contra de lo que se puede llamar la tendencia del grupo manifesta.

—

El operador inteligente nunca deja de estudiar las condiciones generales ni de seguir de cerca todo tipo de desarrollo que pueda afectar o influir en el curso de los diversos mercados.

—

La experiencia me ha enseñado que el comportamiento de un mercado es una guía excelente para un operador. Es como tomarle la fiebre o el pulso a un paciente u observar el color de sus ojos o la lengua.

—

La experiencia me ha enseñado a tener cuidado con la compra de un valor que se niega a seguir al líder del grupo.

—

Cuando el valor, que está manipulado, no actúa de la forma adecuada, déjelo. No discuta con la cinta. No se empeñe en recuperar los beneficios. Dejarlo mientras se puede es bueno, y barato.

—

Tras un boom el público está seguro de que nada va a subir. No es que los compradores se hayan vuelto más exigentes, sino que la compra ciega ha tocado a su fin. Lo que ha cambiado es el estado mental. Ni siquiera es necesario que los precios bajen para que la gente empiece a sentirse pesimista. Es suficiente con que el mercado se apague un poco y permanezca así durante un tiempo.

94. LEBEAU, CHARLES

Charles LeBeau, también conocido como Chuk Le-Beau, ha operado durante más de cuatro décadas en acciones y futuros, dos de ellas con EF Hutton & Co. Es un conocido conferenciante y desarrollador de sistemas, y coautor del libro *Technical Analysis of the Futures Markets*, considerado un clásico del análisis técnico. Fue director de operaciones de Tan LeBeau LLC y en la actualidad es director de Accionet y dirige la web SmartStops.net.

Los sistemas de trading se deben someter a un mantenimiento regular, independiente de sus resultados. Esperar al momento de la pérdida para revisar el sistema es un gran error, a pesar de que es el procedimiento habitual seguido por la mayoría de los traders.

—

Las señales de salida de un sistema son un tema muy complicado, al que por norma general la mayoría de los traders no dedica suficiente tiempo. Todo el mundo dedica su tiempo y esfuerzos en estudiar las señales de entrada, cuando realmente lo que determinará nuestro rendimiento global son nuestras señales de salida.

Los traders que están involucrados emocionalmente
con el trading con frecuencia cometen errores
importantes, porque tienden a cambiar
caprichosamente su estrategia después de perder en
unas pocas transacciones o se vuelven demasiado
descuidados después de unas pocas transacciones
ganadoras.

Los traders deben tratar de establecer una relación de riesgo/recompensa para cada transacción que coloquen. En otras palabras, deben tener una idea de cuánto están dispuestos a perder y de cuánto desean ganar.

—

La experiencia me ha enseñado que un trader de éxito no es aquel que descubre «el Santo Grial» de los indicadores que prediga los movimientos todo el tiempo a la perfección, sino aquel capaz de desarrollar disciplina.

—

Esto es clave: «Tener un plan y tradear el plan».

—

La mayoría de los traders pierde dinero simplemente porque no conoce o no le da importancia a la gestión del riesgo. El manejo del riesgo implica fundamentalmente saber cuánto está usted dispuesto a arriesgar y cuánto desea ganar.

—

Dada la importancia de la gestión del dinero para realizar un trading ganador, el uso de la orden de *stop-loss* es imperativo para cualquier trader que desee tener éxito en el mercado de divisas.

—

97. LIPSCHUTZ, BILL

Bill Lipschutz (n. Farmingdale, Nueva York, 1956) es un trader que opera el mercado de divisas (Forex), cofundador, director y presidente de Hathersage Capital Management. Anteriormente fue director internacional de Divisas en Salomon Brothers, donde trabajó desde 1981 hasta 1990. A mediados de los años 1980 estaba ganando 300 millones de dólares anuales para Salomon Brothers.

Considerado en la cima de su carrera uno de los cinco mejores traders del mundo en el mercado Forex fue uno de los entrevistados en el libro *Market Wizards*, de Jack D. Schwager.

A diferencia de lo que hacen muchos otros traders, no tengo problema en dejar que mis beneficios corran. No creo que se pueda ganar dinero de forma consistente si estamos condicionados por ganar dinero en más del 50 por ciento de las operaciones. Tienes que descubrir la manera de ganar dinero en los mercados, partiendo de una ratio de operaciones ganadoras del 20 o 30 por ciento.

Los traders con éxito constantemente se preguntan a sí mismos: ¿qué estoy haciendo bien?, ¿qué estoy haciendo mal?, ¿qué puedo hacer para mejorar?, ¿cómo puedo obtener más información? La valentía es una cualidad importante para destacar como trader. No basta con ser capaz de ver algo que no ve el resto de la gente, hay que tener el coraje para aplicarlo de forma disciplinada.

▬

Mucha gente quiere obtener la recompensa que ofrece ser un buen trader, sin estar dispuesto a sufrir el compromiso y el dolor que esto supone. Y créame, hay mucho dolor en el proceso.

▬

Es muy difícil actuar de forma diferente a la multitud durante mucho tiempo, y esto es lo que debería hacer si quiere llegar a ser un buen trader.

▬

Perder una buena oportunidad es tan malo como tener una operación con pérdidas. Algunas personas, después de haber perdido la oportunidad de obtener beneficios, dicen: «sólo estaba jugando con el dinero arrebatado anteriormente al mercado», y ésta es la mayor estupidez que jamás he oído.

▬

Evite la tentación de tener que acertar siempre.

—

Cuando estás en una racha negativa, tu habilidad para asimilar y analizar información se distorsiona porque pierdes confianza. Tienes que trabajar muy duro para recuperar esa confianza, y una de las cosas que más ayuda es reducir el tamaño de la operación.

98. LOEB, GERALD M.

Gerald Loeb (n. julio de 1899-† 13 de abril de 1974). Reconocido inversor y escritor. Fue uno de los fundadores de EF Hutton & Co., convirtiéndose en vicepresidente de la compañía en 1962. Es autor de los libros *The Battle for Investment Survival* y *The Battle for Stock Market Profits*.

Tú no quieres analistas cuando el mercado es bajista y tampoco los necesitas cuando el mercado está alcista.

——

El factor más importante de los que por sí solos pueden dar forma a los mercados de valores es la psicología humana.

99. LOWELL, LEE

Lee Lowell es el editor de *Instant Money Trader* para WSD Insider. Es uno de los grandes expertos de Estados Unidos en el mercado de opciones. Ejerció varios años como creador de mercado en la Bolsa Mercantil de Nueva York (NYMEX) y es el fundador de Lowell Capital Consultants. Es autor del libro *Get Rich with Options: Four Winning Strategies Straight from the Exchange Floor* y de numerosos artículos para publicaciones financieras, como *Futures* y *Technical Analysis of Stocks & Commodities*.

Las medias móviles ocupan una parte muy importante en mis gráficos. Utilizo la de veinte días, otra de cincuenta y la media de doscientas sesiones, así como el Índice de Fuerza Relativa (RSI). Y, por supuesto, los soportes y las resistencias. Trato de mantener la sencillez.

La mayoría de los operadores de opciones no sólo creen que tienen la capacidad de elegir la dirección correcta del valor subyacente, sino que también piensan que pueden entrar en el mejor momento. Desafortunadamente muchas opciones compradas en tales circunstancias expiran sin valor, dejando al inversor abatido y con la cartera más vacía.

—

El trading con opciones es diferente al trading con acciones o futuros. Con acciones y futuros, la dirección es el único factor. Obtienes la dirección correcta o no lo haces. Con las opciones, sin embargo, implica la dirección, el calendario y la volatilidad.

100. LYNCH, PETER

Peter Lynch (n. Newton, Massachusetts, 19 de enero de 1944) es un inversor de Wall Street. Graduado por el Boston College en 1965, inició su trayectoria profesional en 1966 como interno en Fidelity Investments Inc. En 1977 asumió la dirección de Magellan en Fidelity, un pequeño fondo con 18 millones de dólares. En 1990, cuando renunció al cargo, el fondo tenía un valor de 19.000 millones de dólares. Peter Lynch es autor de varios libros sobre inversiones, entre los que destaca *One Up on Wall Street*.

Hay que ser capaz de resumir en unas pocas frases el motivo por el que se posee una determinada acción, de modo que hasta tu hijo adolescente lo comprenda.

———

Si no analizas las empresas, tienes las mismas posibilidades de éxito que un jugador de póquer apostando sin mirar las cartas.

———

Invierte sólo lo que puedas perder sin que esa pérdida represente un cambio en tu vida actual ni futura.

—

No siga mis pasos porque aun en el caso de que acierte al comprar usted no sabrá cuándo vendo.

—

Invertir es divertido, excitante y peligroso si no haces los deberes.

—

Detrás de cada acción hay una compañía. Averigua a qué se dedica.

—

Nunca inviertas en una compañía cuyos estados financieros no comprendas. Las grandes debacles en la cotización de una acción suelen ser de compañías con un balance débil.

—

Los inversores han perdido mucho más dinero preparándose para las correcciones o tratando de anticiparlas que lo que han perdido en las propias correcciones.

—

Se puede perder dinero a corto plazo, pero necesitas del largo plazo para ganar dinero.

—

La clave para ganar dinero con las acciones es no tenerles miedo.

—

A lo largo de toda una vida de comprar coches o cámaras se adquiere un sentido para determinar lo que es bueno y lo que es malo, lo que se vende y lo que no se vende... y lo más importante es que usted lo sabe antes de que lo sepa Wall Street.

—

Puede conseguir mejores resultados que los expertos si utiliza su ventaja invirtiendo en empresas o sectores que ya conozca.

—

Tienes que saber qué es lo que compras y por qué lo compras. Guiarse por el presentimiento de que una acción va a subir no sirve.

—

Poseer acciones es como tener hijos. No tengas más de las que seas capaz de manejar. Un inversor a tiempo parcial probablemente tenga la capacidad de seguir entre ocho y doce compañías y tener unas cinco en cartera.

—

Si no encuentras ninguna compañía atractiva donde invertir guarda el dinero en el banco hasta que la descubras.

Todo el mundo tiene el cerebro suficiente para ganar en Bolsa, pero no todo el mundo tiene suficiente estómago. Si eres de los que son susceptibles de vender toda su cartera en los momentos de pánico del mercado, mejor no inviertas en acciones.

Trata de evitar comprar acciones calientes en industrias que estén de moda. Buenas compañías en industrias maduras son de forma consistente las grandes ganadoras.

101. LLINARES COLOMA, FRANCISCO

Francisco Llinares Coloma (n. 1949), es un analista financiero autodidacta con varias décadas de experiencia y colaborador de la Fundación de Estudios Bursátiles y Financieros de Valencia (FEBF), donde imparte el Máster Bursátil y Financiero en el área de análisis técnico. Es también autor del libro *Análisis técnico profesional*.

El analista sabe que hay unos motivos por los que los mercados suben o bajan, pero su conocimiento no es necesario para poder predecir la tendencia futura.

—

Una tendencia primaria dura entre uno y diez años, por tanto en cualquier momento de este período es mucho más probable que la tendencia actual permanezca en lugar de que cambie.

—

No hay ningún oscilador ni media que funcione igual de bien en mercados congestionados que en mercados con tendencia muy definida.

—

Hay algo peor que perder dinero utilizando un sistema operativo poco fiable, y es que el individuo acierte dos o tres operaciones consecutivas por casualidad usando ese sistema, eso inhibirá las precauciones que le hubieran salvado de la ruina.

—

Si una tendencia primaria está vigente dos años de promedio, yendo a su favor y haciendo una operación mensual se acertará 23 veces y se fallará una. Intentando adivinar qué va a cambiar antes de que haya cambiado se fallará 23 veces de promedio y se acertará una.

—

Cuando un método o forma de operar se hace muy popular, inmediatamente los verdaderos profesionales del mercado se dedican a ir contra él, pues saben que para ganar dinero hay que actuar según la opinión contraria del mercado.

—

Hay que saber que el mercado es soberano, que siempre tiene razón, y que enfadarse con él no produce ningún resultado positivo, sino muy al contrario. Al entrar en cólera se imposibilita el razonamiento ponderado y a partir de ese momento se cometen errores de bulto que agravan considerablemente el primero.

102. MADRIGAL, JOSÉ ANTONIO

José Antonio Madrigal (n. Alaquas, Valencia, 1975) ha dedicado su vida a la Bolsa y los mercados financieros. Cursó estudios de Administración de Empresas y Riesgos en el Instituto Santa Cruz de Valencia y complementó su formación bursátil con el Risk Management in International Markets, IFP Lisbon. Actualmente, es jefe estratega de Mercalia Global Market y operador en NASDAQ y NYSE en Estados Unidos. Es creador de las «tortugas hispánicas». También es conferenciante y autor de los libros *Un monje en Wall Street* y *Gánate y ganarás en Bolsa*.

En la Bolsa no se venden verdades, se venden expectativas futuras y, por muy sólidas que aparenten ser las empresas, pueden acabar desplomándose como un castillo de naipes.

La Bolsa no hace falta mirarla todos los días. Esto es un error catastrófico porque no podemos pensar con claridad si vemos lo que está pasando al minuto. La Bolsa es un juego de estrategia, interesa estar alejado para ver la verdad y no nuestra verdad. Hay que tener perspectiva a analizar la situación cada quince días, más o menos.

———

Cada vez es más difícil que un inversor particular gane en Bolsa. Y lo es porque todos los agentes implicados en el sector financiero —bancos, brókers, fondos de inversión, etc.— tienen un único objetivo: beneficiarse ellos mismos del capital del pequeño inversor.

———

La tranquilidad que da tener un *stop* no es comparable a ninguna otra cosa cuando se invierte en bolsa. No lo dude y utilícelos.

———

Cuando el operador compró a diez, y no puso *stop*, aceptó perder el ciento por ciento de la inversión.

———

Tiene que querer ganar dinero y no querer tener razón.

———

Si luchamos contra nuestro ego, podemos perder; pero si no luchamos, estamos perdidos.

———

Si una persona quiere ganar uno y acepta perder diez, jamás será un vencedor.

———

Si una acción sube y sube, no venda rápido.

———

Antes de realizar una operación, mantenga un punto de vista totalmente imparcial, no se apegue a la decisión rápida de si la acción subirá o bajará.

103. MARCUS, MICHAEL

Michael Marcus comenzó su carrera como trader en Commodities Coporation, empresa de inversiones que posteriormente adquirió Goldman Sachs. En pocos años, tras numerosas rachas de pérdidas, consiguió multiplicar su capital por 2.500 veces su inversión inicial, convirtiendo 30.000 dólares en 80 millones de dólares. En su filosofía de inversión recalca que es tan importante dejar correr las operaciones ganadoras como cortar las perdedoras. En 2006 entró en el consejo de administración de ViRexx Medical Corp. Es otro de los grandes traders entrevistados por Jack D. Schwager en *Markets Wizards*.

Para tener éxito como operador, hace falta coraje; el coraje de probar, el coraje de fallar, el coraje de tener éxito y el coraje de seguir adelante cuando las cosas se complican.

La regla más importante es dejar que nuestros ganadores corran y cortar nuestros perdedores. Si no somos capaces de dejar que nuestras operaciones ganadoras corran, cómo vamos a pagar nuestras operaciones perdedoras.

———

Todos los operadores tienen puntos fuertes y puntos débiles. Siempre y cuando respete su estilo personal, tendrá usted los aspectos positivos y los aspectos negativos de su método. Cuando trate de incorporar el estilo de otra persona, acabará casi siempre con lo peor de ambos estilos. A mí me ha pasado muchas veces.

———

Creo que el secreto está en bajar el número de operaciones que haces. Los mejores trades son aquellos en los que tienes tres cosas a favor: los fundamentales, lo técnico y el sentimiento del mercado.

———

Se pierde más dinero escuchando a los brókers que de ninguna otra manera. El trading requiere una gran dedicación personal. Tienes que hacer tu propia tarea, y eso es lo que le aconsejo a la gente que haga.

104. MARX, GROUCHO

Julius Henry Marx, conocido artísticamente como Groucho Marx (n. Nueva York, 2 de octubre de 1890-† Los Ángeles, California, 19 de agosto de 1977), fue un actor, humorista y escritor estadounidense, famoso principalmente por ser uno de los miembros de los «Hermanos Marx», junto a Chico, Harpo, Gummo y Zeppo. Destacó por su humor inteligente e hilarante y su locuacidad. El actor vivió en carne propia la euforia y la desesperación del crac del 29, que explica detalladamente en sus memorias, *Groucho y yo*. También fue presentador de radio y televisión.

He sabido llevarme de la nada a un estado de extrema pobreza.

—

¡Hay tantas cosas en la vida más importantes que el dinero! Pero ¡cuestan tanto!

—

Lo más sorprendente del mercado, en 1929, era que nadie vendía una sola acción. La gente compraba sin cesar. Un día, con cierta timidez, hablé con mi agente de bolsa: «No sé gran cosa sobre Wall Street, pero qué es lo que hace que esas acciones sigan subiendo. ¿No debería haber una relación entre las ganancias de las empresas, sus dividendos y el precio de venta de las acciones?» Me contestó: «Señor Marx, tiene mucho que aprender acerca del mercado de valores. Éste ha dejado de ser un mercado nacional. Ahora somos un mercado mundial. Recibimos órdenes de compra de todos los países de Europa, de América del Sur e incluso de Oriente».

De vez en cuando, algún profeta financiero publicaba un artículo advirtiendo de que los precios no guardaban ninguna proporción con los verdaderos valores y recordando que todo lo que sube debe bajar. Pero nadie prestaba atención a estos conservadores tontos y a sus palabras idiotas. Incluso recuerdo una frase de Barney Baruch, mago financiero americano: «cuando el mercado de valores se convierte en noticia de primera página, ha sonado la hora de retirarse».

Un día concreto el mercado comenzó a vacilar. Así como al principio del auge todo el mundo quería comprar, al empezar el pánico todos querían vender. Luego el pánico alcanzó a los agentes de bolsa y empezaron a vender acciones a cualquier precio. Yo fui uno de los afectados. Luego de un martes espectacular, Wall Street lanzó la toalla y se desplomó.

(Tres extractos de *Groucho y yo*)

105. MCGINLEY, JOHN

John McGinley es analista técnico y editor de *Technical Trends*, un boletín de noticias del mercado de valores. Aparece periódicamente en la CNBC y ha publicado numerosos artículos sobre indicadores técnicos en diversos medios de comunicación. En la década de 1980 inventó el método Double Power Scale y en 1990 creó el McGinley Dynamics, un indicador con un cálculo superior a la media móvil que se adapta automáticamente a la velocidad del mercado.

El inversor representa la parte más baja dentro de la pirámide de información, el segundo lugar lo ocupa el bróker. Si usted piensa que su bróker le va a dar buenos consejos para invertir, mejor dedíquese a otra cosa.

No existe ninguna excusa para no tener que testear los indicadores técnicos. En una ocasión, un analista técnico, tras preguntarle si había probado históricamente el indicador del que hablaba, contestó: «No, pero no es necesario, sé que funciona». Hace unos años todo el mundo pensaba que los viernes eran días bajistas y los lunes alcistas por el efecto del fin de semana, hasta que llego Arthur Merrill, que probó todos los lunes y todos los viernes del siglo pasado y llegó a la conclusión contraria a lo que se creía. Resultaba tan obvio, que hasta el trabajo de Art nadie se había parado a verificar lo que parecía lógico.

———

Existen estudios que demuestran que el 70 por ciento del movimiento de cualquier acción se debe exclusivamente al movimiento del mercado y no a las características y particularidades de dicha acción.

106. MCKAY, RANDY

Randy Mckay es un trader de futuros que comenzó su carrera en el Pit de Chicago operando los primeros futuros de divisas allá por los años 1970.

En su primer año de actividad los 2.000 dólares iniciales se convirtieron en 70.000, y pasó a ganar decenas de millones de dólares. McKay también actuó como gestor de fondos discrecionales para familiares y amigos.

Nunca debería intentar comprar en un suelo o vender en un techo. Incluso si consigue comprar en un suelo, el mercado puede permanecer en esos niveles durante muchos años, manteniendo cautivo su dinero. No debería tomar posiciones hasta que el movimiento no haya comenzado.

Cuando recibo un gran castigo en el mercado, salgo sin miramientos. No importa en absoluto a donde vaya el mercado. Simplemente salgo, porque creo que una vez has sido castigado, tus decisiones van a ser mucho menos objetivas que si estuvieras operando de manera positiva.

—

El comienzo de un movimiento de los precios suele ser difícil de operar, ya que no estás seguro de si estás en lo cierto acerca de la dirección de la tendencia. El final es difícil porque la gente empieza a tomar ganancias y el mercado se agita. El centro del movimiento es lo que yo llamo la parte fácil.

107. MCNEEL, R. W.

R.W. McNeel fue uno de los principales escritores sobre el mercado de valores de los años 1920. De 1912 a 1922 fue director financiero del respetado *Boston Herald,* y en 1922 fundó el boletín del mercado de valores *McNeel's Financial Service.*

En 1927 escribió un resumen fascinante de los fundamentos de la inversión titulado *Beating The Stock Market,* un éxito de ventas desde entonces ampliamente reeditado.

Aquellos que ganan dinero con la especulación no lo logran por casualidad. Ganan porque antes de lanzarse en cada operación han hecho todo lo posible por eliminar el riesgo.

El especulador promedio se apresura a comprar cuando las acciones están altas, ya que la gente está comprando con entusiasmo. No es de extrañar que el especulador promedio venda cuando los precios estén abajo. Vende cuando debería comprar, porque sigue a la multitud, obedeciendo a sus instintos naturales. Sin embargo, para comprar barato y vender caro, el inversor debe ser independiente, incluso un poco rebelde.

—

Las Bolsas no son un juego que pague algo por nada o mucho por poco. Es un juego que recompensa a los que estudian las condiciones que provocan los movimientos de las cotizaciones.

108. MENDELSOHN, LOUIS B.

Louis B. Mendelsohn fue un pionero en la aplicación del análisis técnico utilizando ordenadores personales. Comenzó a operar en acciones y opciones sobre acciones mientras trabajaba como administrador en un hospital de Florida, hasta que lo dejó para dedicarse en exlusiva a operar y desarrollar software de trading. Es presidente y director general de Market Technologies, LLC, fundada en 1979 para el desarrollo de software de análisis técnico. Desempeñó un papel determinante en la transformación del análisis técnico y el trading en la era informática. Es autor de *Forex Trading Using Intermarket Analysis*, *Trend Forecasting with Technical Analysis* y *Trend Forecasting with Intermarket Analysis: Predicting Global Markets with Technical Analysis*.

Mucha de la investigación publicada, en la comparación de los resultados de diversos sistemas de trading, muestra que a largo plazo los mejores resultados se obtienen utilizando los sistemas más sencillos.

109. MERRIMAN, PAUL A.

Paul A. Merriman (n. Coronado, California, 18 de octubre de 1943) es una autoridad reconocida en fondos de inversión, conferenciante financiero y asesor. Fundó su propia firma, Merriman, LLC, en 1983. En 2013 creó The Merriman Financial Education Foundation, dedicada a la formación y educación financiera de inversores. Es autor, entre otros, de *Live It Up without Outliving Your Money!* y *Financial Fitness Forever*.

Cuanto más optimista sea una persona, más probabilidades de éxito tiene, excepto en un campo: en el de la inversión.

—

Alguien se podría preguntar: ¿no son los años más recientes los más importantes? La respuesta definitiva es no, ya que los mercados no paran de cambiar y si constantemente nos adaptamos a los últimos movimientos, el mercado no parará de engañarnos, porque eso es exactamente lo que utiliza la masa como proceso de toma de decisión. La sabiduría popular nos dice que lo más reciente es lo que con mayor probabilidad ocurrirá.

——

Si usted no utiliza un sistema, ¿cómo va a pretender cuantificar los posibles resultados? Si en el último momento es su olfato o su instinto el que decide la operación, ¿cómo pretende hacer un *backtesting* si sus reglas son discrecionales?.

110. MILLER, BILL

Bill Miller (n. Laurinburg, Carolina del Norte, 1950) es presidente y director general de Legg Mason Capital Management Inc. Actualmente gestiona dos fondos de inversión. En 1999 fue designado por la revista *Money* como «Fund Manager of the Decade» («Gestor de la Década»).

El ciento por ciento de la información de una empresa refleja su pasado, mientras que el ciento por ciento de su valor refleja su futuro.

—

Somos inversores de valor porque estamos persuadidos de la lógica de la compra de acciones de empresas cuando otros quieren venderlas, y entendemos que los precios más bajos de hoy significan mayores tasas de rendimiento futuro, y los altos precios de hoy significan menores tasas de rendimiento futuro.

—

La mayor oportunidad para los inversores está pensando realmente en el más largo plazo.

———

La estrategia más efectiva es entrar en los segmentos más atractivos de cada valor, y vigilar atentamente el desarrollo de los acontecimientos.

———

Para tener éxito a largo plazo es crucial contar con un fuerte equilibrio emocional.

———

Una cartera es algo más que un conjunto de valores: es una colección de activos con distintos factores de retorno potencial y distintos riesgos. Cuando elaboramos y gestionamos carteras, tratamos de diversificar estos elementos, que previamente hemos identificado analizando los activos. Centrándonos en los factores de valor y riesgo podemos conseguir una mejor diversificación que la que se lograría limitándonos a replicar un índice de referencia o simplemente diversificando la inversión en una gran cantidad de acciones. En otras palabras, evaluamos el riesgo —y los factores que pueden llevar a él— a nivel de empresa, pero lo gestionamos a nivel de cartera.

111. MONTIER, JAMES

James Montier es uno de los responsables de asignación de activos de la gestora GMO. Después de trabajar como estratega jefe para la alemana Dresdner Kleinwort Wasserstein y la francesa Société Générale, ha atacado de forma locuaz el establishment financiero, desde las teorías de valoración de activos hasta los informes de beneficios, pasando por una devastadora crítica de los fondos.

Su obsesión es mostrar que las decisiones de inversión —como casi todas las decisiones humanas— no son racionales.

Por algo es el principal representante del *behavioural investing*, es decir, de un análisis del mundo de la inversión que parte del estudio de las emociones y el comportamiento humano, como el seguimiento de la manada. Es autor de los libros *Behavioural Investing: A Practitioner's Guide to Applying Behavioural Finance*, *Value Investing: Tools and Techniques for Intelligent Investment* y *The Little Book of Behavioural Investing*.

Una de las razones más habituales para aferrarse a una acción es la creencia de que posteriormente se recuperará. Esto podría deberse a una serie de errores psicológicos potenciales que van del exceso de optimismo y de confianza a la tendencia a la autoatribución.

———

Cuando un analista realiza por primera vez un análisis de las expectativas de beneficio de una empresa con dos años de antelación, éstas son incorrectas como media un asombroso 94 por ciento de las veces. ¡Incluso a doce meses vista, son incorrectas alrededor del 45 por ciento! Por decirlo suavemente, los analistas no tienen ni idea de los beneficios futuros.

———

De todos los peligros a los que se enfrentan los inversores, quizá ninguno resulta tan seductor como el canto de sirena de las historias. Básicamente, las historias rigen nuestra manera de pensar. Dejaremos de lado cualquier prueba a favor de una buena historia.

112. MORGAN, J. P.

John Pierpont Morgan (n. Hartford, Connecticut, 17 de abril de 1837-† Roma, 31 de marzo de 1913) fue un empresario, banquero, filántropo y coleccionista de arte estadounidense que dominó las finanzas corporativas y la consolidación industrial en su época. Fundó el banco J.P. Morgan & Co., una de las principales entidades financieras de Estados Unidos, en 1871.

En 1857 comenzó a trabajar en la Bolsa de Nueva York. Financió la investigación de Thomas Alva Edison. Formó grandes conglomerados empresariales, tras fusionar grandes compañías de ferrocarriles, o Edison General Electric y Thomson Houston Electric, que convirtió en General Electric, y consolidó la U.S. Steel e International Harvester. A principios del siglo xx era uno de los hombres más ricos del mundo y figura dominante del capitalismo. Tanto fue así, que rescató la economía nacional estadounidense en 1895 y 1907. Tenía pasaje para embarcar en el *Titanic*, pero canceló el viaje por enfermedad, escapando de la tragedia.

El que tiene éxito es el que de cada cien decisiones que toma acierta en cincuenta y una.

———

Jugar a la Bolsa es como el juego de las cerillas: uno pasa al otro una cerilla encendida, éste la pasa a un tercero, el tercero al cuarto, y así sucesivamente, hasta que el último, el bobo, se quema los dedos.

———

Para llegar a ser un maestro del dinero hay que ser antes maestro de uno mismo.

113. MUNGER, CHARLIE

Charles Thomas Munger (n. Omaha, Nebraska, 1 de enero de 1924), también conocido como Charlie Munger, es un magnate de los negocios, abogado, inversionista, exmeteorólogo y filántropo estadounidense. Licenciado en Matemáticas por la Universidad de Michigan y en Derecho por la Univesidad de Havard, obtuvo una excelente rentabilidad como gestor en la Munger Investment Partnership (se estima que entre 1962 y 1975 obtuvo una rentabilidad media del 19,8 por ciento frente al 4,9 por ciento del Dow Jones). Conocido como la mano derecha de Warren Buffett, es vicepresidente del Consejo de Berkshire Hathaway Corporation, la empresa de inversión presidida por Buffett. Asimismo, es presidente de la Daily Journal Corporation y director de la Costco Wholesale Corporation. Según *Forbes*, su fortuna asciende a 1.220 millones de dólares.

Siempre habrá alguien que se esté enriquiciendo más rápido que tú. Esto no es una tragedia.

Toda inversión inteligente es *value investing*, adquirir
más de lo que estás pagando.

—

La diferencia entre un buen negocio y uno malo es que
el bueno suele tener que enfrentarse a decisiones
fáciles y el malo suele tener que enfrentarse a
decisiones dolorosas.

—

Se supone que no es sencillo. A cualquiera que le
parezca sencillo, es estúpido.

114. MURPHY, JOHN J.

John J. Murphy es un consultor de negocios con más de tres décadas de experiencia en el uso del análisis técnico. Fue asesor de Merrill Lynch y en la actualidad es presidente de Murphymorris, Inc., empresa especializada en la elaboración de análisis para inversores y que fundó en 1996 en colaboración con Gregg Morris. Durante siete años fue el analista técnico en la televisión CNBC en el popular programa *Tech Talk*.

Conferenciante habitual, es autor, entre otros, de *Análisis técnico de los mercados financieros*, un libro clásico y de referencia en el mundo del análisis técnico, publicado en 1986.

Es posible realizar transacciones en los mercados financieros utilizando solamente el enfoque técnico, pero resulta dudoso que alguien pueda hacerlo sólo con el fundamental, sin consideración del aspecto técnico del mercado.

▬

De vez en cuando resulta útil pararse y reflexionar sobre las razones por las que funcionan los modelos utilizados por los chartistas, o conceptos como soporte y resistencia. No es porque los gráficos o algunas de las líneas que aparecen sean mágicos. Estos modelos funcionan porque proporcionan unas imágenes de lo que están haciendo los participantes del mercado.

▬

Un ordenador puede ayudar a que un buen analista técnico sea incluso mejor, pero no puede transformar a un mal analista técnico en uno bueno.

▬

Los gráficos a largo plazo son útiles en el proceso analítico para ayudar a determinar la tendencia principal y los objetivos de precios, pero no son adecuados para calcular el momento de entrar o salir del mercado, y no deberían usarse para tal fin. Para esta tarea, más delicada, deberían utilizarse los gráficos diarios o los intradiarios.

▬

Los gráficos en sí mismos no hacen que los mercados suban o bajen, sino que simplemente reflejan la psicología alcista o bajista del mercado.

▬

El funcionamiento de los mercados puede parecer aleatorio a aquellos que no se han tomado el tiempo de estudiar las reglas de comportamiento de los mercados. La ilusión de aleatoriedad desaparece gradualmente a medida que mejora la habilidad para interpretar gráficos.

———

La gestión monetaria se ocupa de la cuestión de la supervivencia, le indica al operador cómo administrar su dinero. A la larga, cualquier buen operador debería salir ganando, porque la gestión monetaria incrementa la posibilidad de que el operador sobreviva y llegue al largo plazo.

———

Cuando un soporte o una resistencia son penetrados de forma significativa, se intercambian los papeles; la resistencia pasará a ser soporte (*throwback*) y el soporte pasará a ser resistencia (*pullback*).

———

El hecho es que la mayoría de traders y gestores de fondos exitosos usa algún tipo de mezcla entre lo visual y lo financiero. La tendencia más reciente va hacia una mezcla de las disciplinas de gráficos y fundamentales.

———

Por lo general, los chartistas no se ocupan de las razones por las que los precios puedan subir o bajar.

—

Todas las herramientas utilizadas por el chartista tienen el único propósito de medir la tendencia del mercado con el objeto de poder participar en ella.

—

Como casi todos los operadores pierden, la única forma de salir airoso es asegurarse de que la cantidad de dinero de las operaciones ganadoras sea mayor que la de las perdedoras.

—

Cuanto más atras en el tiempo se formó un soporte o resistencia, más significativo llega a ser.

—

El objetivo más importante del trader visual es llegar a ser capaz de identificar la tendencia de un mercado y discernir cuándo está cambiando.

—

El precio más importante del día es el de cierre, porque éste es el último juicio del merado sobre el valor del día de una acción.

—

Igual que las líneas de tendencia, las medias móviles ayudan a identificar los niveles potenciales de soporte y resistencia y nos ponen sobre aviso cuando ocurre un cambio de tendencia.

———

El análisis intersectorial confiere una dimensión adicional al análisis gráfico tradicional. Estudiando la interacción entre varias clases de activos —tales como materias primas, bonos y acciones— los inversores pueden comprender mejor las fuerzas económicas que mueven cada sector y saber dónde emplear los propios fondos dentro del mercado.

———

El mercado siempre tiene la razón. Somos nosotros quienes debemos sincronizarnos con él.

———

Puede usted leer el periódico o ver la televisión y sabrá por qué los mercados han evolucionado en tal o cual dirección durante la sesión. Las razones le parecerán claras y razonables. Pero subsiste un problema. Si estas razones están tan claras, ¿por qué no le hablaron de ellas antes, cuando aún estaba a tiempo de actuar en función de esas noticias?

115. NASSAR, DAVID S.

David S. Nassar es fundador y consejero delegado de Marketwise Valores y MarketWise.com, un trader veterano con casi treinta años de experiencia en los mercados, escritor best seller y columnista de MarketWatch.com, entre otros logros. Conferenciante muy solicitado a nivel internacional, ha impartido sus conocimientos en el Instituto Tecnológico de Massachusetts (MIT) y en varias facultades de Estados Unidos. Entre sus libros destaca *How to Get Started in Electronic Day Trading*.

La clave está en encontrar un sistema de trading que refleje tu personalidad y forma de vida.

—

Si no te has formado lo suficiente o no tienes las herramientas que usan los profesionales, el mercado te quitará el dinero rápidamente.

—

Cuando usted sabe, y además sabe que usted sabe,
usted puede operar con el conocimiento y la confianza
en sí mismo.

———

El análisis técnico es una herramienta para el trader,
pero no es la panacea.

———

Sin una formación realmente sólida, la tecnología que
tenemos actualmente sólo te ayudará a acelerar tus
pérdidas.

———

Una de las lecciones más difíciles que aprendí fue
cómo aparcar mis opiniones al operar.

116. NATENBERG, SHELDON

Ampliamente reconocido a nivel mundial por su best seller *Option Volatility & Pricing*, Sheldon Natenberg es matemático y director de Educación en la Chicago Trading Company. Imparte y participa en seminarios y charlas sobre opciones y bolsas de derivados por todo el mundo.

Cuenta con casi tres décadas de experiencia como trader en el Chicago Board Options Exchange (CBOE).

Uno de los mayores problemas que conlleva el trading es que lo que está en juego es nuestro dinero. Muchos traders novatos piensan que van a dar la campanada sin llegar a entender realmente el riesgo que están asumiendo. Si usted tiene a una persona a su lado que opera con cien contratos en una misma operación, pensará: «Anda, pero si yo soy tan listo como este tipo, o ¡más!». Cuando este pensamiento cruce por su cabeza habrá cavado su tumba financiera.

No creo que se pueda aprender a operar correctamente con opciones leyendo un libro; es más, dudaría de cualquier persona que lo haga habiendo leído el mío. Lo que se debería hacer es usar estos conocimientos junto con la experiencia adquirida en el trading diario.

117. NEFF, JOHN

John Neff (n. Wauseon, Ohio, 1931) fue considerado durante décadas uno de los diez mejores gestores de fondos de Estados Unidos. Fue un inversor contrario, *contrarian* y *value investing*, que buscaba empresas cuya cotización hubiera sido muy castigada por exceso de pesimismo e infravaloradas y obtuvo una rentabilidad media durante más de treinta años de un 13,7 por ciento anual (frente al 10,6 por ciento del SP500) con su famoso fondo Windsor, dentro de la empresa Management Co. Wellington, a la que se unió en 1964. Se retiró como gestor del fondo en 1995. Fue director de Daimler Chrysler (1996-1998) y de Amkor Technology Inc. (1999- 2005).

Es autor del libro autobiográfico *John Neff on Investing*, publicado en 2001.

Haz lo que es inteligente, no lo que es popular. No siempre es fácil hacer lo que no es popular, pero es ahí donde se gana el dinero. Compra acciones mal vistas a los ojos de los inversionistas descuidados y espera hasta que su valor real sea reconocido.

118. NISON, STEVE

Steve Nison es fundador y presidente de Candle-charts.com, que ofrece productos educativos de primer nivel y servicios comerciales.

MBA en Finanzas e Inversiones, e introductor de las velas japonesas en Occidente, es autor de *Velas y otras técnicas de Extremo Oriente* y *Más allá de las velas*, además de conferenciante de éxito a nivel mundial y profesor en diversas facultades.

Fue analista técnico sénior de Merrill Lynch y vicepresidente sénior de Daiwa Securities.

Siéntase orgulloso de tener la habilidad para detectar los errores rápidamente.

—

El objetivo del general es preservar sus tropas y municiones. El suyo es salvar su capital.

—

No hay lugar para la esperanza en el mercado. El mercado sigue su propio camino sin importarle su posición.

———

Al mercado no le importa lo que usted tenga o no tenga.

———

Lo único peor a estar equivocado es permanecer en el error. Pierda su opinión, no su dinero.

———

La gente odia admitir errores, ya que en ello va implicado el prestigio y la soberbia.

———

Considere también el aspecto del riesgo/beneficio de un trading potencial. Que haya una señal de trading no significa que tenga que hacer trading en ella.

———

Debe siempre haber un precio en el cual reconozca usted que su perspectiva está equivocada. Da igual lo fiable que sea una herramienta técnica, siempre habrá veces en que las señales que da la herramienta resulten erróneas. Utilizando los *stops*, el riesgo de una operación se puede definir.

———

El trading exitoso supone tener de su lado tanto la
tendencia como las probabilidades.

—

Todas las tendencias de largo plazo empiezan como
movimientos a corto plazo.

—

Las velas no están diseñadas para ser un sistema
completo; sólo son un arma, aunque poderosa, para
usar en sus batallas de trading.

—

En ocasiones hay que perder unas cuantas batallas
para ganar la guerra.

—

Los gráficos de velas aportan muchas señales útiles de
trading. No obstante, no proporcionan objetivos de
precios.

—

Las velas, como otros métodos de gráficos, requieren
subjetividad. Usted es un médico del mercado.

—

Una de las formas más básicas de determinar la
tendencia es usar la línea de tendencia.

—

Una estrategia eficaz para operar con velas requiere no sólo que se entiendan los patrones de velas, sino que se pongan en práctica tácticas que sean coherentes y consistentes.

—

Un *stop* debe ser situado al principio de la operación de trading, ya que es entonces cuando se hace de forma más objetiva. Hay que permanecer en la operación sólo si la rentabilidad del mercado concuerda con nuestras expectativas.

119. NOFSINGER, JOHN R.

John Nofsinger estudió Finanzas en la Universidad Estatal de Washington y es profesor en la Universidad de Alaska. Es uno de los principales expertos del mundo en psicología de los mercados o psicofinanzas y un ponente habitual sobre gestión de inversiones en universidades y congresos académicos. Colaborador habitual en medios de comunicación financieros, como *The Wall Street Journal*, *Financial Times*, *Fortune*, *The Washington Post*, Bloomberg o CNBC, es autor o coautor de una decena de libros traducidos a varios idiomas. Su libro *The Psychology of Investing* se encuentra en su quinta edición y es una referencia para los inversores.

Cuando usted pierde la capacidad de pensar racionalmente y se deja llevar por sus predisposiciones psicológicas, se transforma en una presa fácil para los demás.

—

El miedo al arrepentimiento y la búsqueda de sentimientos de orgullo y satisfacción hacen que los inversores se sientan predispuestos a vender acciones con beneficios demasiado pronto y mantener acciones con pérdidas demasiado tiempo.

———

La gente es propensa a correr riesgos financieros después de haber tenido unos beneficios inesperados, aunque habitualmente sienta cierta aversión al riesgo.

———

Todos queremos creer que nuestras decisiones de inversión son buenas. Ante una evidencia en sentido contrario, los mecanismos de defensa del cerebro actúan filtrando la información que se recibe y alterando el recuerdo de las rentabilidades de las inversiones.

———

Unas grandes pérdidas al final del año se asocian, en nuestra memoria, con un alto grado de dolor emocional; por otra parte, nuestro recuerdo de una pérdida lenta nos produce menos dolor emocional.

———

La gente parece contemplar el presente de manera muy distinta a como contempla el futuro. Esto lleva a tener fuertes deseos y una débil fuerza de voluntad.

———

Los anuncios que aparecen en internet y en revistas especializadas de trading son divertidos y tentadores, pero el mensaje es claro: es fácil conseguir beneficios rápidos. ¿Qué es lo que hay que hacer? Operar frecuentemente.

———

Las burbujas en los mercados financieros se producen por causa de la psicología humana.

———

Cuando usted se mueve con el rebaño puede quedar atrapado en las emociones del momento. Cuando usted invierte guiado por las emociones acaba por tener resultados mediocres.

———

La gente tiende a creer que la exactitud de sus predicciones aumenta con más información. Sin embargo, esto no es siempre así, el aumento de información no necesariamente conduce a un mayor conocimiento. Hay tres razones para ello. Primero, un poco de información no ayuda a hacer predicciones e incluso puede engañarnos. En segundo lugar, muchas personas no tienen la formación, experiencia o habilidades para interpretar la información. Y por último, las personas tienden a interpretar la nueva información como confirmación de sus creencias previas.

120. NUROCK, ROBERT J.

Robert J. Nurock se dio a conocer gracias a la televisión, como colaborador del programa *Wall Street Week*, que siguen en Estados Unidos varios millones de espectadores.

En este programa Nurock presenta semanalmente el Nurock's Technical Market, una fórmula para la previsión de las principales tendencias del mercado. Publica, además, *The Astute Investor*, un boletín con consejos de inversión.

Cuando nos encontramos en la parte alta de un ciclo alcista los especuladores no prestan ninguna atención al riesgo y están dispuestos a invertir en cualquier cosa, sólo se preocupan de las rentabilidades. Por otro lado, cuando nos encontramos en la parte baja del ciclo los especuladores sólo están preocupados por el riesgo y no prestan ninguna atención a las rentabilidades.

121. O'NEIL, WILLIAM J.

William J. O'Neil (n. Oklahoma, 25 de marzo de 1933) es un conocido bróker de Bolsa estadounidense. Creó su propia firma de corretaje, William O'Neil & Co., en 1963, y en 1984 fundó el periódico *Investors Business Daily*, que compite con *The Wall Street Journal*. Es autor de los libros *How to Make Money in Stocks* y *24 Essential Lessons for Investment Success* y el creador de la estrategia de inversión CAN SLIM. Actualmente imparte seminarios en todo el país sobre cómo invertir en Bolsa.

El secreto del triunfo en los mercados financieros no se basa en acertar en todas las oportunidades que se nos presentan.

Nunca compro acciones por consejos, rumores o información privilegiada. Se trataría de una inversión poco fiable. Por supuesto, consejos, rumores o información privilegiada es lo que está buscando todo el mundo y, como suele suceder, lo que la mayoría de inversores cree y hace en los mercados no va a funcionar.

———

La mayoría de los inversores inexpertos se aferra obstinadamente a sus pérdidas cuando éstas son todavía pequeñas. Podrían cerrar las posiciones con una pérdida mínima, pero el factor humano y emocional les lleva a mantener la esperanza de que la pérdida desaparezca y esto acaba convirtiendo esas pequeñas pérdidas en grandes sumas de dinero.

———

Algunas personas dicen: no puedo vender estas acciones porque perdería dinero. Si el precio de sus acciones está ya por debajo del precio al que compró, su venta no nos traerá una pérdida patrimonial, porque la pérdida ya la tenemos.

———

El secreto del éxito en la Bolsa es perder lo mínimo posible cuando no se acierta.

———

Algunos inversores tienen problemas con la toma de decisión de comprar o vender. Se muestran inseguros porque en realidad no tienen un plan, un conjunto de reglas y principios que les sirva de guía.

—

Debido a que tres de cada cuatro acciones, independientemente de lo buenas que éstas sean, se moverán con la tendencia global del mercado, es importante aprender a evaluar cuándo el mercado está alcanzando un punto de giro a la baja.

—

Una acción nunca debería venderse porque su precio parece demasiado alto. La idea es no vender en los máximos sino en el momento justo.

—

Una buena manera de obtener resultados miserables es comprar cuando la acción está bajando.

—

Las acciones son como cualquier otra cosa. No puedes comprar la mejor calidad al precio más barato.

—

La historia se repite en el mercado bursátil. Muchos de los patrones de precios y de las estructuras de consolidación de precios que forman las acciones se repiten una y otra vez.

122. OYAMA, KENJI

Kenji Oyama es presidente y consejero delegado de Broadleaf Co., Ltd. desde 2006.

El mercado es una lucha de fuerzas en la que la estrategia consiste en invadir el territorio enemigo. Cuando se pierde el equilibrio, una de las partes es arrastrada y el resultado se decide. El mercado se comporta así muchas veces, y hay que prestar atención al equilibrio de fuerzas.

123. PARKER, JERRY

Jerry Parker fue uno de los famosos Turtle Traders («Traders Tortuga»), el grupo experimental de traders creado por Richard Dennis y William Eckhardt en la década de 1980. Está considerado el más éxitoso y rentable de las tortugas.

Jerry fue aceptado por el grupo en 1983. Cuando el programa de entrenamiento terminó, en febrero de 1988, decidió continuar su carrera profesional y fundó Chesapeake Capital Corporation, de la que sigue siendo presidente y director ejecutivo.

Probablemente mi mejor técnica es la de mantenerme alejado del teléfono cuando mi posición es ganadora.

—

Nadie puede predecir lo que sucederá.

—

Para tener éxito, creo que usted debe comprometerse a un enfoque sistemático.

124. PESAVENTO, LARRY

Larry Pesavento es un veterano trader que lleva en los mercados cuarenta y cinco años. Director de Trading Tutor y de la web larrypesavento.com, ha entrenado a más de un millar de traders. Durante su carrera, ha sido miembro del Chicago Mercantile Exchange. Ha participado en FNN (ahora CNBC) y es autor de diez libros sobre trading.

El trading es un juego de probabilidades. Como todo trader, se va a encontrar con un período de *drawdown* en su curva de resultados y el éxito se mide por nuestra capacidad mental para manejar esas pérdidas.

—

La única manera de preservar el capital es tener escrito un plan de trading y usar las órdenes de *stop loss* para salir del mercado cuando te equivocas. Saber que estás equivocado es más importante que saber cuándo estás en el lado correcto. Las pérdidas tienden a sumar más rápido que los beneficios, si no haces nada al respecto. Preocúpate por la cantidad de dinero que puedes perder y no por cuánto dinero puedes ganar.

—

Hay muchas causas para el fracaso. La primera sería la falta de experiencia o conocimiento.

125. PETERSON, TOM R.

Licenciado en Administración de Empresas por la Universidad de Columbia Británica, Thomas R. Peterson fue presidente de Brookside Capital. Desde 1996 preside Bulls Eye Research.

Es más importante querer ganar dinero que querer tener razón. Las personas que quieren tener razón todo el tiempo tienen miedo a tomar decisiones. Las personas que quieren ganar dinero están dispuestas a cambiar sus decisiones para coger lo que el mercado vaya a darles.

—

Los buenos operadores necesitan confianza, necesitan disciplina y necesitan la confianza para aferrarse estrictamente a su disciplina.

—

Equivocarse también es una buena fuente de información: te indica que te has adelantado o que tienes que invertir tu posición.

126. PETITJEAN, MIKAEL

Mikael Petitjean (n. Ebo-
lowa, Cameron, 21 de
abril de 1973) es profesor
de Finanzas en la Escuela
de Negocios de Lovaina,
Universidad Católica de
Lovaina (UCL Mons), y
director del Center for
Studies in Asset Manage-
ment (CESAM). Asimismo, es editor asociado de la
revista *Journal of Banking and Finance*, una de las revistas de finanzas más prestigiosas.

Es autor del libro *Guía del trader: Métodos y técnicas de especulación bursátil.*

Un gran número de personas se precipita hacia el
trading como se hacía en la fiebre del oro del siglo XIX,
con el corazón lleno de esperanza y la cabeza vacía.

—

El arte del trading consiste en la capacidad de
gestionar sus pérdidas y no en la capacidad de evitarlas
a toda costa.

—

Cortar sus pérdidas como estaba previsto inicialmente en el plan de trading es el mejor modo de asumir riesgos mesurados y de aceptar que las pérdidas forman parte integrante de la actividad del trading.

—

El trading requiere un buen conocimiento de técnicas específicas, un gran dominio de sí mismo y una rigurosa disciplina; no es una ciencia, ni tampoco un juego. No hay lugar para la fantasía o los sueños.

—

Un plan de trading no sirve de nada si las reglas y procedimientos que se definen en el mismo no son aplicados al pie de la letra.

—

El error más grave que un trader puede cometer es el de no cortar las pérdidas en el momento previsto. Las consecuencias son duras. En primer lugar, conduce a la erosión sistemática de su activo más valioso: su capital inicial.

—

Cuando el éxito llama a la puerta, algunos traders tienden a sentirse demasiado confiados. Una sucesión de buenas operaciones les hace estar menos atentos y cuando se baja la vigilancia, a menudo se sufren consecuencias muy dolorosas.

—

El peor vicio consiste en ganar dinero sin haber respetado el *stop loss* que inicialmente se había determinado en el plan de trading. Cometer tal error es peligroso, porque a continuación genera un sentimiento de enorme satisfacción.

—

Los traders más destacados son plenamente conscientes de sus defectos. Esta capacidad de autoanálisis constituye la primera regla básica en materia de disciplina. El mayor enemigo no es el mercado; el mayor obstáculo en la progresión del trader es él mismo o más bien el desconocimiento de sus propias debilidades.

—

La psicología es el factor más determinante en materia de trading. El miedo y las ansias de ganar son los dos demonios de la psicología del trader. Un trader que afirma no haberse sentido nunca atraído por el ansia de ganar y no sentir ningún temor se miente a sí mismo.

—

El mejor medio de aprender de los errores pasados es anotar en un diario un registro histórico de todas las operaciones perdedoras.

—

Los mejores traders no confían en la suerte: prefieren la
disciplina.

—

Toda violación repetida de una regla de trading
conduce a la bancarrrota.

127. PRECHTER, ROBERT R. JR.

Robert R. Prechter, Jr. (n. 1949) es un analista de mercado estadounidense conocido por sus pronósticos financieros usando la teoría de las ondas de Elliott. Fundador y presidente de Elliott Wave International, es autor y coautor de más de una decena de libros, entre ellos el best seller *Conquer the Crash*. Tras acabar sus estudios de Psicología en la Universidad de Yale en 1971, cambió el rumbo de su carrera por el de los mercados financieros en 1975 como trabajador de Merrill Lynch.

Al igual que sucede en muchos de los análisis técnicos basados en las pautas gráficas, no es necesario entender el porqué en la medida en que las herramientas nos funcionen.

▬

Los inversores no pueden anticiparse a los cambios bursátiles, ya que los seres humanos proyectamos los cambios futuros de forma lineal y no de manera cíclica.

▬

La mayoría de los inversores terminan posicionados con la mayor parte de su capital disponible en la parte alta del ciclo y con la mayor parte de su capital disponible en liquidez en la parte baja del ciclo.

——

Hay dos principios que todo trader debe aplicar a los mercados: (1) aborda los mercados con un esfuerzo del ciento por ciento y no esperes que tu recompensa se aproxime al ciento por ciento del esfuerzo depositado y (2) no te cases en octubre; si lo haces, descubrirás que durante la mitad de tus aniversarios el mercado se derrumba.

——

La masa, el gran público, se comporta de la misma forma en cada uno de los ciclos del mercado. Algunas tendencias duran más tiempo que otras y algunas tienen un recorrido más amplio que otras; sin embargo, la percepción psicológica de la masa durante cada uno de los mercados alcistas y bajistas es la misma.

128. PRICE, THOMAS ROWE JR.

Thomas Rowe Price Jr. (n. Linwood, Maryland, 1898-† Baltimore, 1983) se inició en el mundo de la inversión en Wall Street en la década de 1920. Fundó su propia empresa de inversión, T. Rowe Price, en Baltimore, Maryland, en 1937.

Basó su estrategia en la inversión en buenas empresas con horizonte en el largo plazo, técnica prácticamente desconocida en ese momento. En su opinión, los inversores tenían que poner más énfasis en la selección de valores individuales para el largo plazo. La disciplina, la consistencia del proceso y la investigación fundamental constituyeron la base de su exitosa carrera.

El cambio es la única certeza del inversor.

129. PRING, MARTIN

Martin Pring entró en los mercados financieros en 1969 y ha crecido hasta convertirse en un líder mundial en la comunidad inversora. En 1981 fundó Pring Research y desde 1984 publica de forma mensual la revista *Intermarket Review*. Fue pionero en el uso de vídeos y CD para explicar el análisis técnico. Comenzó como corredor de bolsa en Toronto, Canadá, trabajando para una compañía llamada AE Ames. En la actualidad es presidente de la gestora de capitales Pring Turner Capital.

Durante su trayectoria profesional ha desarrollado varios indicadores técnicos y económicos y es autor de una veintena de libros, entre los que destaca *Análisis técnico explicado*.

El enfoque técnico de la inversión es, en esencia, un reflejo de la idea de que el mercado se mueve en tendencias que vienen determinadas por las actitudes cambiantes de los inversionistas ante una serie de fuerzas económicas, monetarias, políticas y psicológicas.

Lo primero y más importante es acostumbrarse a hacer un cálculo preciso de los riesgos involucrados. Analice siempre el riesgo antes que el beneficio potencial. Después de cuantificarlo, uso *stops* para proteger mis beneficios y después poder calcular mi relación riesgo/beneficio. Éste es el enfoque clásico, es decir, el que sigue al buen sentido común y según el cual todos debemos pensar y actuar.

▬

Si se quiere tener éxito, el análisis técnico debería considerarse como un arte y no como una ciencia.

▬

No hay razón alguna por la cual alguien no pueda ganar una cantidad sustancial de dinero en el mercado de valores, pero sí razones por las cuales la mayoría de las personas no lo harán. Al igual que en la mayoría de los intentos en la vida, la clave del éxito en el mercado de valores radica en el conocimiento y la acción.

▬

El análisis técnico se basa en la afirmación de que la gente continuará cometiendo los mismos errores que en el pasado. Las relaciones humanas son extremadamente complejas, pero la repetición de características similares es suficiente para permitir que el técnico identifique puntos mayores de cobertura.

130. QUAYLE, DAN

James Danforth, *Dan*, Quayle (n. Indianápolis, Indiana, 4 de febrero de 1947) es un político estadounidense. Fue el 44º vicepresidente de Estados Unidos, durante el mandato de George Bush (1989-1993). Considerado el peor vicepresidente del país por la revista *Time*, se hizo célebre por sus numerosas declaraciones absurdas y por no saber deletrear la palabra «potato» durante una visita a un concurso de ortografía para niños.

Las predicciones son difíciles, especialmente las que se refieren al futuro.

131. RABBITT, PAUL

Paul Sarkis Rabbitt es presidente de Rabbitt Capital Management. Comenzó su carrera en Oppenheimer (1978) para fundar diez años después Rabbitt Analytics, donde realizaba análisis de acciones utilizando como fuente de información internet. Es comentarista habitual en CNBC, CNNfn, TheStreet.com, Reuters y Bloomberg.

Varios estudios académicos nos demuestran que cuando un inversor compra una acción el rendimiento de dicho título se explica por las siguientes fuentes: aproximadamente el 50 por ciento se debe al comportamiento del mercado de forma global, cerca del 15 por ciento del retorno se puede explicar por el rendimiento del grupo o industria en el que se enmarca la acción, lo que nos deja con un escaso 35 por ciento que se puede explicar mediante los fundamentales del título.

132. RAFFERTY, JERRY

Jerry Rafferty es un veterano de los mercados con una experiencia de cuatro décadas en materias primas. Durante la primera mitad de su carrera trabajó como trader independiente para convertirse posteriormente en un referente en el mercado de futuros de la energía. Experto en análisis técnico, en la actualidad es presidente de Rafferty Commodities Group, Inc.

La naturaleza humana hace que los operadores tengan esperanza cuando deberían tener miedo. Cuando tienen pérdidas tienen esperanza y cuando tienen beneficios tienen miedo. El resultado neto son unos pequeños beneficios y unas grandes pérdidas.

—

Lo más arriesgado es no hacer nada.

133. REDES, DARÍO

Darío Mendes es un trader argentino, *money manager* en Alpari UK Ltd., una compañía dedicada al mercado de divisas radicada en Londres y con operaciones en Nueva York, Shanghai, Dubai, Moscú, Kiev y México, D.F. Gestor de fondos independiente, analista técnico experto especializado en ondas de Elliott, es director de DRED Consultores, consultora que estudia el análisis de los mercados financieros a través de la teoría de Elliott. Es autor de los libros *Cómo entender el trading y vivir de él*, *Trading avanzado: La espiral logarítmica* y *Metodología Trade Jut®: El trade perfecto*.

La manera en que trabaja su cerebro lo hace a usted un ganador o un perdedor. El viejo consejo, «conózcase primero y luego conozca al mercado», ha resistido el paso del tiempo.

—

Los traders perdedores van en busca de certeza y fiabilidad. Quieren un sistema, un asesor o un indicador con el que puedan contar y que les diga qué hacer en el mercado. Y mientras menos certeza consiguen de estos soportes, más los buscan.

—

El ego luchará todo el tiempo contra nosotros, impidiéndonos darnos cuenta rápidamente de que es mejor tragarnos nuestro orgullo y hacer lo que es correcto. Conocemos la ley que dice reducir rápidamente las pérdidas y cambiar a otra cosa. Pero el ego se interpone entre nosotros y esas leyes económicas para preservar su autoestima. En realidad, el ego tiene vida por sí mismo dentro de todos nosotros. Su dominio es más poderoso que una bomba nuclear.

—

El trading no es para todos. Eso es claro. Pero la mayoría de la gente que se dedica a esto pierde dinero, y esto se debe fundamentalmente a la falta de un sistema, la falta de disciplina para seguir el sistema y buenos hábitos.

134. ROBLEDO, GUILLERMO

Guillermo Robledo es psi-
cólogo y trader. Fue el responsable de psicobolsa.
com hasta 2010, año en
que traspasó su proyecto a
dos nuevos blogs, viajeaI-
taca.com y sicodrama.
com. Es licenciado en Psicología por la Universidad
de Sevilla y experto en Mercados Bursátiles y Derivados por la UNED.

La gente dedica una parte importante de capital a
entender el MACD o el estocástico, o el ADX, pero
dedica muy poca parte de su capital-tiempo a
entenderse a sí misma, su impaciencia, su miedo, su
impulsividad, sus bloqueos.

El trading no es un juego de apuestas, es (o eso es lo que deberíamos conseguir que sea) una profesión que exige el máximo «afinamiento» de nuestros recursos técnicos (teóricos, prácticos y psicológicos) hasta configurar un auténtico «rol profesional» que constituye en sí mismo el verdadero «grial» del que todos hablan.

135. ROCKEFELLER, JOHN D.

John Davison Rockefeller (n. Richford, Nueva York, 8 de julio de 1839-† Nueva York, 23 de mayo de 1937) fue un empresario, inversor y gran filántropo estadounidense, que monopolizó la industria petrolera. Fue fundador (1870) y presidente de Standard Oil, una gigantesca compañía de extracción, refino, transporte y distribución que en los años 1880 llegó a controlar más del 90 por ciento del petróleo de Estados Unidos, y sostuvo monopolios en inversiones en múltiples países extranjeros. Fue uno de los hombres más ricos del mundo.

Si su único objetivo en la vida es ser rico, jamás lo logrará.

—

No creo que haya otra cualidad tan esencial para el éxito de cualquier tipo como la perseverancia. Supera a casi todo, incluso a la naturaleza.

—

Siempre intenté convertir cada desastre en una
oportunidad.

—

El secreto del éxito es hacer las cosas comunes de una
manera poco común.

—

La manera de hacer dinero es comprar cuando la
sangre está corriendo por las calles.

—

A menos que creáis en vosotros mismos, nadie lo hará.
Éste es el consejo que conduce al éxito.

136. ROGERS, JIM

James Beeland, Jim, Rogers, Jr. (n. 19 de octubre de 1942) es un empresario e inversor estadounidense, que comenzó a operar en los mercados en 1968. Presidente de Rogers Holdings and Beeland Interests, Inc., fue cofundador, con George Soros, de Quantum Fund, donde ejerció como analista logrando un 4.200 por ciento en diez años, frente al +47 por ciento del SP500. Fue el creador del Rogers International Commodities Index (RICI). Es autor de los best sellers *Investment Biker* y *Adventure Capitalist*, donde cuenta largos viajes a través de cientos de países y habla de sus inversiones.

Básicamente, todas mis operaciones están orientadas por fundamentales.

▬

Las rachas bajistas en el mundo de las inversiones no terminan en cuatro años, terminan en diez o quince como mínimo.

▬

En mis primeros días no tenía capacidad de resistencia, ni psicológica, ni emocional ni, sobre todo, financiera.

—

Toda mi vida he estudiado intensamente geografía, política, economía e historia, porque creo que están interrelacionadas, y he empleado lo que he aprendido para hacer operaciones en los mercados mundiales.

—

Para tener éxito invirtiendo es necesario entrar pronto, cuando las cosas están baratas, cuando hay pánico, cuando todo el mundo está desmoralizado.

—

La experiencia me dice que cuando todo el mundo está en el mismo lado de un trade, por lo general es mejor tomar el otro lado.

137. ROTHSCHILD, NATHAN MAYER

Nathan Mayer Rothschild (n. Frankfurt, 16 de septiembre de 1777-† Londres, 28 de julio de 1836) fue comerciante textil en Manchester entre 1798 y 1800. En 1808 fundó en Londres el banco N. M. Rothschild & Sons, que sigue operando con éxito en la actualidad.

Se estableció en Frankfurt con la negociación de monedas y billetes, y posteriormente en Londres desarrolló actividad bancaria en negociación de préstamos. Emitió 26 préstamos gubernamentales británicos y extranjeros entre 1818 y 1835 y en 1824 fundó la Assurance Company Alliance.

Durante las guerras Napoleónicas (1796-1815) la adinerada familia de banqueros Rothschild apoyó a ambos bandos, y multiplicó su fortuna tras la batalla de Waterloo.

Se precisan una gran cantidad de audacia y una gran cantidad de precaución para hacer una gran fortuna.

138. RYAN, DAVID

David Ryan (n. Long Island, Nueva York, 1959) es un trader que se dio a conocer por ganar varios campeonatos de trading en Estados Unidos, concretamente en tres ocasiones, entre 1985 y 1990. En 1985 ganó con un espectacular 161 por ciento de rentabilidad y en 1986 logró un 160 por ciento. En 1998 fundó Ryan Capital Management, en Santa Mónica, California. La empresa se dedica al negocio de la asesoría de inversión y ofrece experiencia en el mercado de valores y la gestión de carteras a un número limitado de inversores. Ejerce como estratega de inversiones y gestor de *hedge funds*. Fue uno de los célebres inversores entrevistados por Jack D. Swager en *Market Wizards*.

A mayor disciplina, mayor será su rendimiento en el mercado, y cuanto menor sea su necesidad de rumores y consejos, menor será la probabilidad de perder dinero.

El consejo más importante que puedo dar a cualquier
persona es: aprenda de sus errores. Éste es el único
camino de convertirse en un buen trader.

—

Para resumirlo, siempre estoy buscando las acciones
más fuertes del mercado, en términos de ganancias y
desde un punto de vista técnico.

—

El volumen puede ser muy importante. Si el mismo
dobla de un día para otro y la acción se mueve a un
nuevo máximo, ello te está diciendo que mucha gente
está interesada en la misma.

—

Cuando un mercado, o una acción, están tocando
suelo, quieres ver un incremento del volumen
combinado con la ausencia de nuevos precios
mínimos.

139. SÁEZ DEL CASTILLO, ANTONIO

Antonio Sáez del Castillo es presidente de Gesmovasa, analista técnico y autor de varios libros, entre los que destaca *El principio universal del módulo de Elliott*. Actualmente preside de la asesoría financiera Global Finanzas.

Los índices son todos idénticos, y guardan una correlación perfecta sobre todo y especialmente en los giros y en los desplazamientos direccionales.

—

Solamente el 3 o el 4 por ciento de los participantes del mercado controla el 80 y el 90 por ciento del negocio. Si éstos se retiran, no hay movimiento.

—

El mejor sistema que existe para arruinarse en los mercados sigue siendo el análisis fundamental.

—

Las crisis se organizan de manera consciente para robarle el dinero al pueblo.

—

Ya es una evidencia demostrada, hasta la saciedad, que no se puede abordar con seriedad ningún estudio técnico de los mercados organizados sin tener un buen conocimiento del análisis gráfico.

140. SALIBA, TONY

Anthony Saliba es director general ejecutivo de ConvergEx Group y director general de LiquidPoint, una compañía de ConvergEx Group. En su puesto actual gestiona las plataformas de negociación de opciones. Inició su carrera comercial en Chicago Board Options Exchange (CBOE) con las opciones sobre acciones como creador de mercado independiente.

No importa lo que suceda. Conozco la peor de mis alternativas y mi pérdida va a estar siempre limitada.

—

El mayor problema de algunos traders es que piensan que están por encima del mercado. No temen al mercado y esto les lleva a perder su disciplina.

141. SANDS, RUSSELL

Russell Sands es un operador de futuros y divisas con más de veinticinco años de experiencia. Fue uno de los principiantes reclutados por Richard Dennis y William Eckhardt para el experimento de los Turtle Traders («Traders Tortuga»). En la actualidad, es uno de los dos alumnos formados como «Traders Tortuga» que tiene permiso para formar a otras personas en la operativa tortuga original.

La parte más dura de sobrellevar es tener la disciplina suficiente para seguir las reglas en todas las operaciones, ya que utilizando sistemas seguidores de tendencia vamos a perder dinero en el 65-70 por ciento de las operaciones. Es difícil esperar en una de las rachas malas y no pensar que podríamos saltarnos las reglas por una vez y así arreglaríamos la cuenta de resultados. La disciplina y la consistencia es algo mucho más difícil de dominar que la simple colocación de nuestras señales de entrada y de salida.

Pienso que Jesse Livermore, que supuestamente fue la persona que escribió el libro *Recuerdos de un operador de acciones* bajo seudónimo, es el mejor trader que jamás haya existido y al mismo tiempo el peor gestor monetario de todos los tiempos. Aparte de esto, su forma de actuar frente al mercado es excepcional: si tenemos un beneficio hemos acertado y debemos dejar correr la ganancia, si tenemos una pérdida es que nos hemos equivocado y debemos cortar la operación inmediatamente.

———

A todos los traders les gusta hacer buenas operaciones y obtener beneficios. La tentación llega cuando queremos tomar un beneficio antes de tiempo y rompemos con una de las reglas fundamentales del trading: dejar correr los beneficios.

———

Las leyes de la probabilidad sólo funcionan en el largo plazo; en cada operación de forma individual nunca sabremos lo que va a pasar. No podemos predecir cómo va a ir la operación, si resultará favorable o desfavorable. Lo que sí podemos hacer es mantener la posición si el precio va a nuestro favor y cerrarla si se mueve en contra.

———

Sin lugar a dudas, existe un componente psicológico en el trading. Todas las personas pueden operar desde un punto de vista técnico, pero la psicología es la parte dura de la tarea. Sabemos que los mercados reaccionan ante el comportamiento humano; de hecho, los mercados son parte del movimiento de la masa porque están formados por multitud de individuos, que toman sus decisiones mediante la psicología de masas en vez de utilizar factores económicos de oferta y demanda.

—

Si la masa siempre está equivocada y la mayoría de la gente, el 90 por ciento, pierde dinero, para ganar dinero lo que tenemos que hacer es operar como la minoría que no se deja influir por la multitud.

142. SCHUTZMAN, FRED G.

Fred G. Schutzman, director ejecutivo de Briarwood Capital Management, Inc., es un analista técnico de mercados (CMT) y ha sido miembro de la Asociación de Técnicos de Mercado desde 1985. Anteriormente fue gerente de carteras de Pressprich Capital Management LLC. Ha impartido conferencias sobre análisis técnico en todo el mundo y ha aparecido en numerosas ocasiones como invitado en la CNBC.

Diseñar las entradas de un sistema de trading es una tarea difícil, pero diseñar las salidas es incluso más difícil y más importante.

El desarrollo de un sistema de trading es en parte arte, en parte ciencia y en parte sentido común. Nuestra meta no es desarrollar un sistema que logre los rendimientos más altos usando los datos históricos, sino formular un concepto fundado que haya funcionado razonablemente bien en el pasado y que pueda seguir haciéndolo en el futuro.

—

Con mucho trabajo y dedicación, cualquier persona puede crear un sistema de trading que funcione bien. No es fácil, pero está dentro de lo factible. Como casi todo en la vida, lo que usted obtenga de este esfuerzo estará directamente relacionado con lo que haya puesto en él.

143. SCHWAGER, JACK D.

Jack D. Schwager es gestor de fondos y experto en la industria de futuros y *hedge funds*. Ha publicado numerosos libros de finanzas, entre ellos el exitoso *Market Wizards*, donde entrevista a algunos de los mejores gestores de los últimos tiempos.

Cada mercado tiene sus propias estructuras fundamentales y se convierte en una difícil tarea intentar operar en muchos mercados mediante el análisis fundamental. Sin embargo, con el análisis técnico se puede utilizar más o menos el mismo modelo para cualquier mercado.

—

Según mi interpretación, un «trader» estaría preocupado por la dirección que toma el mercado, mientras que un «inversor» trabajaría para seleccionar acciones que tuvieran una rentabilidad superior al mercado.

—

No opere si no puede permitirse perder dinero. De hecho, una de las ocasiones en las que estará garantizada su pérdida en los mercados financieros es ésta. Si su capital dedicado al trading tiene para usted demasiado valor, estará predestinado a perderlo.

———

El trading constituye una de las últimas grandes fronteras de libertad en nuestra economía. Es uno de los pocos caminos en los que cualquier persona puede empezar con una suma pequeña de dinero y convertirse en multimillonaria.

———

Los buenos traders están capacitados para cambiar de opinión en un momento.

———

Nuestros instintos naturales nos guiarán erróneamente por los mercados financieros. El primer paso para convertirse en un trader de éxito es la reprogramación de nuestro comportamiento para lograr hacer lo que sea correcto, en lugar de lo que nos hace sentirnos más cómodos.

———

Los grandes traders son personas muy independientes. Salvo muy raras excepciones, limitan sus decisiones de trading a sus propias opiniones o sistemas. La importancia de no dejarse llevar por la masa es la principal razón de esta férrea independencia.

—

Uno de los errores que se cometen es pensar que hay una metodología que es mejor que otras, y no es cierto. Uno de los factores fundamentales para el éxito es la gestión del dinero, entre otros, y no tiene que ver con una técnica.

—

Si buscas a alguien que te entregue una técnica en bandeja no te funcionará; para poder tener éxito, debemos desarrollar nuestras propias técnicas, y éstas pueden variar mucho de un trader a otro.

—

Mediante el análisis técnico podremos responder a la pregunta de cuándo entrar y cuándo salir del mercado de una forma que, en cambio, el análisis fundamental nunca será capaz de hacer.

—

Asumiendo que los fundamentales de una acción no cambian en el corto plazo, cuanto menor sea la cotización mayor será el valor implícito de dicha acción desde el punto de vista fundamental. Esto nos lleva a aumentar el tamaño de nuestra posición compradora a medida que el precio va en nuestra contra. Esto es algo que nunca entendí.

—

Me he dado cuenta de que para mi operativa las operaciones no planeadas, realizadas por algún tipo de intuición durante las horas de mercado, me llevaban a una pérdida segura. Intento siempre y constantemente evitar este tipo de operaciones.

———

El único elemento que tienen en común todos los grandes traders que he entrevistado es su confianza en que a largo plazo seguirán generando dinero. El resto de cualidades gira en torno a esta confianza.

———

Para ser un buen trader necesitas tener confianza en tu operativa y para tener confianza en tu operativa tienes que ser un buen trader.

———

Se podrían decir muchas cosas sobre la incapacidad de apretar el gatillo. Sin embargo, si alguien no es capaz de ejecutar su plan de trading es porque no tiene la suficiente confianza en sí mismo, y si no cuenta con la suficiente confianza, a lo mejor es que el plan no es tan bueno como pensaba.

———

Todos los grandes traders tienen un conjunto de reglas bien definidas, nunca operan según sus instintos. La existencia de este método de trabajo bien definido eleva el nivel de confianza en sus posibilidades, y éste es el mayor secreto del éxito.

—

Nunca he encontrado de utilidad el uso de osciladores. Determinados traders, especialmente los novatos, pierden mucho tiempo en estas herramientas, de una forma que perjudica su salud financiera, ya que lo que intentan es buscar los suelos y los techos del mercado.

—

No hay nada más sencillo que desarrollar un sistema de trading que pueda generar cada año rentabilidades del 200/400 por ciento. Lo único que necesitamos es un sistema con muchos parámetros y un software que nos permita optimizar todos estos parámetros para ajustarnos a los precios pasados.

—

Creo que la optimización es una forma de podernos sentir cómodos con el pasado; pero no nos va a proporcionar nada del futuro.

144. SCHWARTZ, MARTY

Martin S., Buzzy, Schwartz es un operador de Wall Street y exmarine que hizo fortuna en acciones, futuros y opciones. Trabajó como analista financiero para EF Hutton & Co. Decidió reunir un dinero para especular en Bolsa por su cuenta. El primer año haciendo trading obtuvo un beneficio de 600.000 dólares y lo duplicó al año siguiente. Consiguió un 1.000 por ciento al año durante siete años seguidos. Se hizo famoso cuando ganó el U.S. Investing Championship en 1984, ganando más dinero que todos los participantes juntos. Su ritmo frenético en las operaciones y la creación de un fondo en el que gestionaba su dinero y el de los partícipes del fondo le acarreó problemas de salud, por lo que decidió, a los cuarenta y ocho años, retirarse y seguir operando por su cuenta a menor ritmo. Es autor de *Pit Bull: Lessons from Wall Street's Champion Trader*. Fue uno de los entrevistados por Jack D. Schwager en el legendario *Market Wizards*.

Cuando el mercado te golpea te sientes emocionalmente tocado. La mayoría de los traders tratan de tomarse la revancha aumentando el tamaño de su posición. Si intentamos recuperar nuestras pérdidas de forma precipitada estaremos en el camino del fracaso.

———

Lo más importante en el trading es «gestión monetaria», «gestión monetaria» y «gestión monetaria». Cualquier persona que tenga éxito le dirá lo mismo.

———

Pasé de ser un perdedor a un ganador cuando fui capaz de lograr separar las necesidades de mi ego de mi operativa, cuando fui capaz de aceptar que podía estar equivocado. Anteriormente, aceptar que estaba equivocado era más frustrante que la pérdida real de dinero.

———

Siempre me río de la gente que dice que nunca ha conocido a un analista técnico rico. Me encanta, es una afirmación tan arrogante como sin sentido. Yo utilicé el análisis fundamental durante nueve años y me hice rico utilizando el análisis técnico.

———

Invertir a través de consejos y rumores niega mi principal premisa de éxito en los mercados: el trabajo duro. El trabajo duro te hace fuerte mientras que los rumores te harán débil. Si no sabemos por qué estamos posicionados no sabremos qué hacer en caso de que la posición se mueva contra nosotros.

———

El verdadero problema de los traders novatos está en que sólo cuentan con la mitad del plan total de trading. Sólo se han preparado para la parte sencilla; saben el beneficio que quieren obtener pero no saben cuánto están dispuestos a perder si las cosas van mal. Si la posición empieza a perder dinero, se quedan paralizados por el miedo y su única reacción es rezar para que vuelva a ponerse en positivo y así poder cerrar sin pérdidas.

———

Siempre miro mis gráficos y las medias móviles antes de tomar una posición. ¿Está el precio por encima o por debajo de la media móvil? Trato de no ir en contra de las medias móviles; es autodestructivo.

———

¿Ha estado una acción por encima de su mínimo más reciente cuando el mercado ha caído por debajo de su mínimo anterior? Si es así, quiere decir que esa acción es sana. Ése es el tipo de divergencias que me interesan.

———

Lo más importante para aprender a ganar dinero es no dejar que tus pérdidas se te vayan de las manos. Y también, no incrementes el tamaño de tu apuesta hasta que hayas doblado o triplicado tu cuenta. Antes de abrir una posición, piense en la cantidad máxima que estaría dispuesto a perder.

145. SCHWED, FRED

Fred Schwed Jr fue un tra-der profesional muy desa-fortunado: su carrera co-menzó en 1927 y en 1929 en el crac bursátil perdió casi la totalidad de su patri-monio. Schwed publicó un primer libro para niños ti-tulado *Wacky, el pequeño muchacho*. El libro se convirtió en un éxito de ventas y gracias a ello decidió publicar otro, *¿Dónde están los yates de los clientes?*, donde detalló su experiencia en los mer-cados. Su editor dijo de él: «El Sr. Schwed ha pasado los últimos diez años en Wall Street. Como resultado, él sabe todo lo que hay que saber acerca de los niños».

Érase una vez, en los queridos y lejanos días más allá de lo que puedo recordar; a un visitante de fuera de la ciudad se le estaban mostrando las maravillas del distrito financiero de Nueva York, y su guía le señala alguno de los más hermosos barcos del puerto. «Mire, aquéllos son los yates de los banqueros y brókers.» «¿Dónde están los yates de los clientes?», preguntó el ingenuo visitante.

La especulación es el esfuerzo, quizá fallido, de tranformar poco dinero en mucho. La inversión es el esfuerzo, que debería tener éxito, de impedir que mucho dinero se transforme en poco.

—

El jugador de Bolsa neoyorkino de tipo medio, cuando no encuentra algo provechoso que hacer, se queda sin hacer nada durante un breve período. Luego, de forma repentina e histérica, hace algo que resulta extremadamente perjudicial para sus intereses. No es un hombre perezoso.

146. SEIDLER, HOWARD

Howard Seidler fue uno de los famosos Turtle Traders («Traders Tortuga»), el grupo experimental de traders entrenado por Richard Dennis, fruto de una apuesta con William Eckhardt en la década de 1980, con la que Denis quería demostrar que era posible enseñar un sistema y convertir a un grupo de personas en inversores exitosos. Durante cuatro años las Tortugas lograron una rentabilidad media del 80 por ciento. Hoy en día, Howard Seidler regenta su propia firma, Saxon Investment Corporation, con la que lleva más de veinte años operando con éxito en los mercados.

Es importante distinguir entre el respeto y el miedo por el mercado. Aunque es imprescindible respetar al mercado para preservar nuestro capital, tampoco se puede ganar si tenemos miedo. El miedo nos mantendrá alejados de las decisiones correctas.

Lo más importante a tener en cuenta para triunfar en los mercados es tener un plan. Primero, un plan nos fuerza a ser disciplinados, lo que constituye un elemento esencial en el trading. Segundo, un plan te proporciona una meta sobre la que medir tu rendimiento.

147. SEYKOTA, EDWARD

Edward Arthur, *Ed*, Sey-
kota (n. 7 de agosto de
1946) cursó estudios de ingeniería eléctrica en el Instituto Tecnológico de Massachusetts (MIT). En 1970
fue pionero en el uso de
ordenadores para probar
y analizar sus ideas de tra-
ding sobre los mercados. Fue uno de los traders entrevistados en el libro *Market Wizards* de Jack
D. Schwager.

Los elementos del buen trading son: (1) cortar las
pérdidas, (2) cortar las pérdidas y (3) cortar las
pérdidas. Si puede seguir estas tres reglas, entonces
tendrá una oportunidad.

———

Mis reglas de trading son: (1) cortar las pérdidas, (2)
dejar correr las ganancias, (3) mantener pequeñas mis
apuestas, (4) seguir las reglas con disciplina y (5) saber
cuándo romper estas reglas.

———

Si no es capaz de tomar una pequeña pérdida, antes o después se enfrentará a la madre de todas las pérdidas.

—

Siempre pongo un *stop* cuando entro un trade. Normalmente subo esos *stops* a medida que mi beneficio se incrementa. A veces tomo beneficios cuando el mercado se vuelve loco. Normalmente no me hace ganar más que si esperara a que mis *stops* fueran tocados, pero beneficia a la volatilidad de mis cuentas, lo que ayuda a calmar mis nervios. Perder una posición es perjudicial, pero perder los nervios puede ser devastador.

—

Hay muchos traders viejos y hay muchos traders valientes, pero hay muy pocos traders valientes y viejos.

—

Me he ido haciendo más mecánico con el paso del tiempo, ya que: (1) he adquirido más confianza en las operaciones basadas en las tendencias y (2) mis programas mecánicos han ido incorporando más y más «trucos de la profesión». Sigo teniendo períodos en los que pienso que puedo obtener mejores resultados que mi propio sistema, pero estas divagaciones frecuentemente se suelen corregir a través del proceso de perder dinero.

—

Prefiero no recrearme con las situaciones del pasado. Suelo deshacerme de las malas operaciones cuanto antes, las olvido y después paso a ocuparme de nuevas oportunidades. Después de enterrar una operación fracasada, no me gusta desenterrar los detalles otra vez.

———

Cuando las portadas de los periódicos nos muestren noticias demasiado emocionales, mejor cerrar las posiciones. Esto no es una acusación contra los editores de los periódicos, lo que sucede es que al final de los grandes movimientos hay una sobrerreacción psicológica de las masas que se refleja en las portadas.

———

Los «funda-mentales» sobre los que se suele leer en la prensa salmón son habitualmente inútiles, puesto que el mercado ya los habrá tenido en cuenta al calcular el precio; yo los suelo llamar «risa-mentales». No obstante, si se entera de algo pronto, antes de que lo sepan los demás, tal vez pueda aprovecharse de esos valiosos «sorpresa-mentales».

———

Gane o pierda, todo el mundo consigue lo que quiere del mercado. Da la impresión de que algunas personas quieren perder, así que ganan perdiendo.

———

Una noche, mientras estaba cenando con un analista fundamental, accidentalmente tiré un cuchillo al suelo. El analista observó como caía el cuchillo hasta que éste fue a clavarse en uno de sus zapatos. «¿Por qué no retiraste el pie?», exclamé exaltado. A lo que mi compañero respondió: «Estaba esperando que el cuchillo frenara la caída y retrocediera».

———

La clave para la supervivencia y la prosperidad a largo plazo tiene mucho que ver con la administración del dinero.

———

Me convertí en un gran seguidor de las teorías de Richard Davoud Donchian, programándolas en mi ordenador. Era la única persona en aquellos tiempos que realizaba tests con datos históricos de distintos activos. Richard era muy generoso con sus ideas y siempre que podía las compartía, incluso invitaba a otras personas a utilizar sus sistemas. Además, inspiró a varias generaciones de diseñadores de sistemas y es el padre de varias generaciones de traders.

———

El gran secreto sobre el éxito es que no existe, realmente, ningún secreto; o si existe, yo lo desconozco. La simple idea de buscar algún tipo de secreto oculto para alcanzar el éxito en el trading nos va a desviar del éxito.

———

Muchos de los mejores sistemas lo son de seguimiento de la tendencia. La misma vida está basada en las tendencias. Las aves emigran al sur en invierno y siguen su camino hasta llegar a su destino. Las empresas detectan tendencias y actúan en consecuencia.

———

El orgullo es una gran cáscara de plátano, como lo son la esperanza, el miedo y la codicia.

148. SMITH, GARY B.

Gary B. Smith es un trader y escritor estadounidense. Trabajó para IBM desde 1980 hasta 1995. En 1999 se unió a Fox New Channel, donde ejerce de comentarista habitual sobre Bulls & Bears, y tiene su propio espacio, «The Chartman». Es manager del *hedge fund* Exemplar Capital, creado en 2006.

Cuando el mercado se desploma, siempre es una buena idea empezar a buscar gangas.

—

No podría vivir sin el *back testing*. Siempre y cuando no esté optimizado. ¿Qué puedes esperar de algo que no funcionó en el pasado?

—

Precio, volumen y tiempo. Si tienes las tres cosas, no necesitas nada más.

—

Yo puedo hacer entradas aleatorias y ganar dinero; pero lo que nunca podré hacer es generar salidas aleatorias y ganar dinero.

149. SOROS, GEORGE

George Soros (Budapest, 12 de agosto de 1930) es un especulador financiero, inversor, escritor y filántropo de origen húngaro, nacionalizado estadounidense. Se hizo famoso por provocar la quiebra del Banco de Inglaterra el 16 de septiembre de 1992, episodio conocido como «Miércoles Negro». Con una fortuna neta valorada en unos 24.500 millones de dólares en 2015, está considerado por la revista *Forbes* como uno de los hombres más ricos del mundo. Es presidente de Soros Fund Management LLC.

Lamentablemente, cuanto más complejo es el sistema, mayor es la posibilidad de error.

▬

Si la inversión en Bolsa te parece divertida, si te estás divirtiendo mientras inviertes, probablemente no estés ganando dinero, ya que la buena inversión suele ser aburrida.

▬

Sólo soy rico porque sé cuándo me equivoco... Básicamente he sobrevivido al ser consciente de mis errores.

—

Los mercados financieros suelen ser impredecibles. De manera que tienes que plantearte distintas alternativas... La idea de que se puede predecir de verdad lo que va a suceder contradice mi visión del mercado.

—

Los mercados están en un estado de incertidumbre y cambio constante, y se gana dinero descartando lo obvio y apostando por lo inesperado.

—

Yo sostengo que los mercados financieros nunca reflejan la realidad subyacente con precisión; siempre la distorsionan de algún modo y las distorsiones encuentran su expresión en los precios del mercado.

—

El problema no es lo que uno sabe, sino lo que uno cree que sabe estando equivocado.

—

Cuanto peor parezca la situación, menos esfuerzo es necesario para cambiarla y mayor potencial de ascenso posee.

—

Cuando se comprende que la condición humana es la imperfección del entendimiento, ya no resulta vergonzoso equivocarse, sino persistir en los errores.

—

Todas las burbujas comienzan con una tendencia que puede observarse en la realidad y una confusión al respecto de esa tendencia. Los dos elementos interactúan en forma reflexiva.

—

No importa para nada si tiene razón o no. Lo que sí importa es cuánto gana cuando tiene razón y cuánto pierde cuando está equivocado.

—

Tomar una decisión de inversión es como formular una hipótesis científica y someterla luego a una prueba práctica. La principal diferencia es que la hipótesis que da sentido a una idea de inversión tiene como objetivo ganar dinero, no establecer una generalización universalmente válida.

—

El dinero está hecho para descartar lo obvio y apostar a lo inesperado.

—

Encuentre una tendencia cuya premisa sea falsa y apueste su dinero contra ella.

150. SPERANDEO, VICTOR

Victor Sperandeo es presidente y consejero delegado de Alpha Financial Technologies, LLC (AFT), socio fundador de EAM Partners LP y trader. Conocido como Trader Vic, ha trabajado entre otros conocidos inversores con George Soros o Leon Cooperman. Es autor de los libros *Trader Vic. Methods of a Wall Street Master* y *Trader Vic II. Principles of Professional Speculation*, y coautor de *Trader Vic on Commodities: What's Unknown, Misunderstood, and Too Good To Be True*.

Operando los mercados sin saber en qué etapa se encuentran es como intentar vender un seguro a una persona de ochenta años como si tuviera veinte.

———

La clave del éxito en el trading está en la disciplina emocional. Si la inteligencia fuera la clave, habría mucha más gente ganando dinero en los mercados. Sé que lo que voy a decir a continuación es un tópico, pero la principal razón por la que los individuos pierden dinero en los mercados financieros es por no cortar las pérdidas y no dejar que corran las ganancias.

———

Mi objetivo en Wall Street nunca fue hacerme rico sino permanecer en el negocio. Hay una gran diferencia. Si estás fuera del negocio no puedes hacerte rico. Por eso tienes que ser cuidadoso cuando estás arriesgando bastante.

———

El análisis técnico nos puede proporcionar una información esencial, siempre que comprendamos lo que nos ofrece: un método para encontrar patrones repetitivos en la conducta de las cotizaciones. Su mayor aportación es la de proporcionarnos un método para reaccionar ante las tendencias del mercado, de una forma similar a como se ha hecho en el pasado.

———

Los inversores institucionales tienen un fuerte instinto gregario para mantener sus posiciones largas. Si no están comprados o en posición larga lo peor que les puede pasar es que el mercado suba. En ese caso los clientes se llevarán el dinero a otras instituciones por el bajo rendimiento. Sin embargo, si el mercado se derrumba y todos los gestores pierden dinero no peligrarán sus puestos de trabajo. ¿Qué pueden hacer los clientes?, ¿retirar el dinero y llevarlo a otro gestor que también pierde dinero?

—

Por ejemplo, apostar en la lotería o en una máquina de azar son maneras de apostar. Yo creo que operar de manera exitosa o jugar al póquer requiere especular (pensar y actuar) más que apostar. La especulación exitosa requiere tomar riesgos con las probabilidades a tu favor. Justo como en el póquer, donde tienes que saber qué manos son las mejores para apostar, en el trading tienes que saber cuándo tienes las posibilidades a tu favor.

—

Mi metodología básica es un proceso de tres pasos: primero identificar el máximo en un mercado alcista, luego esperar a que la tendencia alcista se rompa, y una vez ésta se ha roto ver cómo se comporta la reacción. Si el precio no logra superar el máximo y vuelve a descender, la mejor señal de que puede iniciarse un mercado bajista es que se supere el bajo anterior que rompió la tendencia al alza.

—

En el mercado de acciones, el indicador al que le doy más importancia es la media móvil de doscientos días. No recomendaría este indicador como señal única, pero es muy útil como complemento para tomar decisiones de trading.

—

Cualquiera que compró el mercado entre el punto
mínimo de 1896 y el punto mínimo de 1932 habría
perdido dinero. En otras palabras, hay un período de
treinta y seis años durante los cuales la estrategia
de comprar y mantener habría perdido dinero.

———

La razón más importante por la que la gente pierde
dinero en los mercados financieros es porque no
cortan sus pérdidas.

151. STEENBARGER, BRETT N.

Brett Steenbarger es un psicólogo clínico, trader y escritor. También es profesor clínico asociado de Psiquiatría y Ciencias del Comportamiento de la SUNY Upstate Medical University en Syracuse, Nueva York. Se involucró en los mercados financieros en 1970. Actualmente es director de Desarrollo del Trader para Kingstree Trading, LLC en Chicago.

Es autor de varios libros, entre los que destaca *Psicología del trading*.

Una carrera en el trading es un maratón, no un sprint.
Los ganadores se dosifican el ritmo.

—

Todo trader necesita un plan para perder. Su *stop loss* es un plan para una operación perdedora.

—

La confianza no proviene de tener razón siempre; viene de sobrevivir las muchas ocasiones en las que uno se equivoca.

▬

Usted cambiará cuando esté listo para cambiar y estará listo para cambiar cuando reconozca que necesita cambiar.

▬

Los límites en el tamaño de las posiciones, los planes de trading y los niveles de *stop loss* son como los neumáticos para la nieve: puede que no le parezcan muy útiles cuando las cosas vayan bien, pero ciertamente le ayudarán a lidiar con las condiciones adversas.

▬

Los problemas de muchos traders se muestran en cómo manejan las oportunidades, no las pérdidas.

▬

Sus puntos fuertes de trading pueden encontrarse en los patrones que se repiten en las operaciones de éxito.

▬

Usted controla cómo opera; el mercado controla cómo y cuándo cobra usted.

▬

Las reglas de trading ayudan a ser constante.

—

Si está preparado para la adversidad, responderá con un estrés normal, no con angustia.

—

Sus metas deberían de prepararle para el éxito y aumentar su confianza.

—

Pensar positiva o negativamente sobre el resultado del rendimiento interferirá en el proceso de rendir. Cuando uno se centra en lo que hace, el resultado se cuida solo.

—

El riesgo y la recompensa son proporcionales: perseguir grandes ganancias inevitablemente conlleva mayores *drawdowns*. La clave del éxito es operar dentro de su tolerancia al riesgo para que las fluctuaciones no cambien cómo ve los mercados y su toma de decisiones.

—

En el trading nos desarrollamos. Toda ganancia es una oportunidad para superar la codicia y el exceso de confianza. Toda pérdida es una oportunidad para desarrollar resistencia.

—

Generalmente hace falta más confianza para aguantar en una operación ganadora que para iniciarla.

Los pensamientos correctos de trading comienzan como reglas y evolucionan en hábitos.

Las reglas promueven la disciplina.

La necesidad de un gurú revela la ausencia de un plan para guiarse uno mismo.

El enemigo del cambio es la recaída: volver a caer en las viejas formas de pensar y comportarse que no son productivas. Sin el momento de la emoción, la recaída es la norma.

Los pensamientos negativos son inevitables; la cuestión es si uno los acepta.

Cuando las reglas se repiten una y otra vez, se interiorizan y se vuelven mecanismos de autocontrol.

Practicar acelera la curva de aprendizaje.

—

Fíjese una meta positiva, basada en sus puntos fuertes, para mantenerse en contacto con lo mejor de usted mismo.

—

Los traders de éxito aprenden a desarrollar su resistencia con el tiempo y a adaptarse al estrés que en algún momento anterior podría haberles desbordado.

—

Busque las situaciones en las que no comete sus peores errores. Muchas veces esas situaciones contienen la clave para evitar los patrones problemáticos más constantemente.

—

El cambio comienza cuando usted se impide a sí mismo hacer lo que no funciona.

—

Recuerde: no puede seguir una regla disciplinadamente si nunca la ha formulado.

—

Sólo cuando los nuevos comportamientos han sido repetidos muchas veces, en muchos contextos, comienzan a volverse automáticos, superando la tendencia a la recaída.

———

Al actuar basándose en la idea de que las pérdidas representan oportunidades, elimina una buena parte de la amenaza de perder.

———

Muchos comportamientos destructivos en el trading son el resultado de querer eludir el dolor.

———

Cuando crea un diario de trading, se enfrenta cara a cara con su peor trading y lo convierte en una oportunidad.

———

Si su entorno es cómodo posiblemente no conduzca al cambio.

———

Muchos problemas de trading son el resultado de exteriorizar los dramas personales en los mercados.

———

Operar bien es una fuente poderosa de nuevas
experiencias emocionales positivas.

—

Sus puntos fuertes de trading pueden encontrarse en
los patrones que se repiten en las operaciones de éxito.

—

El diario cognitivo puede utilizarse para identificar las
mejores prácticas en nuestra forma de pensar y operar.

—

Muchos traders se salen de operaciones buenas
cuando intentan no perder en vez de intentar
maximizar los beneficios.

—

Saber qué aspecto tiene una mala racha y aceptar que
surgirán de vez en cuando le ayuda a reducir su
amenaza.

—

Las malas prácticas de trading —una mala ejecución,
gestión del riesgo y gestión de las posiciones— son
responsables de buena parte de la angustia emocional.
El trading afecta a nuestra psicología tanto como la
psicología afecta a nuestro trading.

152. STEIDLMAYER, PETER J.

J. Peter Steidlmayer ha sido trader independiente y miembro durante más de cuarenta años del Chicago Board of Trade (CBOT), donde ejerció diversos cargos.

Ha formado a traders de todo el mundo. Ha escrito, en colaboración, diversos libros sobre trading —*Markets and Market Logic*, *New Market Discoveries*, *141 West Jackson: A Journey Through Trading Discoveries* y *Steidlmayer on Markets*— y ha publicado artículos en revistas de finanzas. Desarrolló el método del *market profile* y posteriormente un software para analizar este sistema.

Ganar dinero es sencillo, mantenerlo es algo más complicado. En una operación, puedes estar equivocado o acertar. Si estás equivocado, cierra la posición; si has acertado, mantenla. Lo realmente importante es no perder dinero. Aquellos que empiezan ganando mucho dinero de forma rápida y sin operaciones malas, no aprenderán esta gran lección.

153. STEINHARDT, MICHAEL

Michael H. Steinhardt (n. Brooklyn, Nueva York, 7 de diciembre de 1940) es un gestor de *hedge funds* estadounidense, inversor, editor de periódicos, coleccionista de arte y filántropo. En 1967 fundó el fondo Steinhardt, Fine, Berkowitz & Co. (más adelante Steinhardt Partners), con el que obtuvo de 1967 a 1995 un promedio de rentabilidad anualizada para sus clientes de un 24,5 por ciento. Invertía en numerosos productos, como bonos, opciones y divisas, en horizontes temporales que iban desde los 30 minutos al mes. En 2004, tras varios años retirado, se unió a Index Development Partners, Inc., en la actualidad Wisdom Tree Investments, de la que es presidente. En 2010 fue nombrado presidente de la junta de Israel Energy Initiatives Ltd. Es autor del libro *No Bull: My Life In and Out of Markets*.

El equilibrio entre la confianza y la humildad se aprende mejor a través de la experiencia y los errores. Debe haber un respeto por la persona que está tomando la operación contraria a la nuestra. Pregúntese siempre ¿por qué quiere vender? y ¿qué sabe él que yo no sepa?

———

El buen trading es una combinación entre la convicción de seguir tus ideas y la flexibilidad de reconocer que hemos cometido un error.

———

Un trader está más preocupado por la dirección del mercado. ¿Va a subir o a bajar el mercado o la acción? El inversor está más preocupado por escoger la acción apropiada para invertir.

———

Mi actitud siempre ha sido que para ganar dinero en los mercados tienes que estar dispuesto a ponerte en una situación de peligro. Siempre he tendido a ir corto en acciones que eran favoritas y respaldadas por un gran entusiasmo institucional.

———

No uso órdenes de *stop* ni nada. No uso ninguna regla sobre comprar en fuerza o debilidad. No me interesan los *breakouts*. No uso gráficos.

———

A lo largo de los años lo más duro ha sido tener el valor de ir contra la sabiduría dominante de la época, tener una opinión que difiera del consenso del momento y apostar por ella.

—

Todos los grandes traders son grandes buscadores de la verdad.

154. STENDAHL, DAVID

David Stendahl es gestor de inversiones; presidente y fundador de Signal Trading Group, ha diseñado sistemas de trading desde principios de los años 1990. Como asesor de Bolsa de materias primas (CTA), ha negociado en cuarenta mercados de futuros. Además, ha impartido conferencias en numerosos congresos nacionales e internacionales. Es autor de varios libros de trading, entre los que destaca *Profit Strategies: Unlocking Trading Performance with Money Management*.

Lo que hacemos, principalmente, con las estrategias de gestión monetaria es minimizar las malas rachas cuando estamos en un período de consolidación y maximizar los beneficios cuando estamos en un período de tendencia.

▬

Operar en los mercados con tendencia es aburrido, pero es ahí donde está el dinero.

▬

La gestión monetaria es algo sobre lo que todo el mundo habla, o piensa, pero poca gente lo lleva a la práctica.

——

La mayoría de los sistemas te dicen cuándo comprar y cuándo vender, pero no todo es blanco o negro. Se necesita una fórmula o algoritmo que te permita ajustar la cantidad de contratos o acciones para cada operación.

——

Nosotros no hacemos predicciones sobre el mercado, sólo reaccionamos ante sus movimientos.

——

Cuando usted sabe, y además sabe que usted sabe, la Confianza sustituye al Miedo.
Mi método de trading es mecánico al cien por cien, por lo que mis sistemas son los mismos hoy que los que utilizaré dentro de diez años, ya que estos sistemas tienen cualidades dinámicas.

155. SWEENEY, JOHN

John Sweeney es trader y fue vicepresidente del holding bancario Seafirst Banking Corporation. Editor de la revista de análisis técnico *Stocks & Commodities*, es autor del libro *Maximum Adverse Excursion. Analyzing Price Fluctuations for Trading Management*. En 1985 compró Seattle Gymnastics Academy, compañía que dirige en la actualidad.

Un plan para cada operación debe contener: (1) una visión general de lo que está sucediendo; (2) una operación para beneficiarse del anterior marco; (3) la búsqueda de una buena relación rentabilidad/riesgo; (4) un método para determinar el fracaso del sistema, y (5) una forma de salir de la posición si nuestro plan ha fracasado. Probablemente usted no pueda predecir el futuro, pero puede diseñar un plan para beneficiarse de los sucesos más probables, minimizando los riesgos.

La gente aprende mediante los errores. Si observamos un mercado y hacemos predicciones y constantes correcciones a nuestras predicciones ocurrirán dos cosas. Lo primero es que llegaremos a apreciar el trabajo de los economistas, y lo segundo que haremos cada vez mejores predicciones. La línea temporal de sus predicciones se ampliará, su sentido de la dirección mejorará y la sensibilidad ante los errores disminuirá.

—

Tener un plan de trading perfectamente definido hace la vida más fácil, una vez que nuestra operación está en el mercado. Para añadir un poco más de tranquilidad a la operación, define tu posición antes de entrar en el mercado, escríbelo y vive con ello.

156. TABELL, ANTHONY W.

Anthony W. Tabell es trader. Comenzó su carrera en 1954, como consultor de instituciones en Walston and Co., compañía de la que fue vicepresidente a mediados de los años 1960. En 1970 abandonó la empresa para formar Delafield, Harvey, Tabell en Nueva Jersey, donde continuó con su labor de asesoramiento a instituciones. En 1992 la compañía se fusionó con United States Trust Company y pasó a ser vicepresidente de la misma.

Pionero en la utilización de ordenadores en el campo del análisis técnico a finales de la década de 1950, fue miembro fundador de la Market Technicians Association y miembro de su consejo de administración hasta su jubilación en 1993.

Desde mi perspectiva, la frase «tomar beneficios» debería de eliminarse del vocabulario de todo analista técnico. Se trata de una estrategia de trading y no de un elemento técnico. El análisis técnico es una herramienta que está al servicio del trader o del inversor.

El estudio de la historia de los mercados forma parte del análisis técnico, ya que cuando miramos un gráfico o un estudio realizado con nuestro ordenador, lo que realmente hacemos es ver la historia del mercado bajo la presunción de que los patrones repetidos del pasado se volverán a repetir en el futuro.

━━

La llegada de la globalización a los mercados financieros es uno de los ejemplos de fenómenos que cambian y a la vez se quedan en el mismo lugar. Mientras los mercados estén gobernados por las emociones humanas, los patrones de precios se seguirán repitiendo como lo han hecho en el pasado.

157. TEMPLETON, JOHN

Sir John Templeton (n. Winchester, Tennessee, 29 de noviembre de 1912-† Nassau, Bahamas, 8 de julio de 2008) fue un financiero y filántropo estadounidense nacionalizado británico.

Inició su carrera en Wall Street en 1937 y entró en el mundo de los fondos de inversión en 1954, cuando creó Templeton Growth Fund Inc. Está considerado como uno de los mejores gestores del siglo xx. Vendió Templeton en 1992 al Grupo Franklin por 440 millones de dólares.

Su técnica consistía en buscar compras ventajosas, acciones desconocidas en todo el mundo, siendo su mejor cualidad su capacidad de modificar el estilo de inversión cuando los mercados cambiaban. En toda su carrera ganó un promedio de más del 14 por ciento anual.

El momento de máximo pesimismo es el mejor momento para comprar y el momento de máximo optimismo es el mejor momento para vender.

—

Para todos los inversores de largo plazo únicamente debe haber un objetivo: máxima rentabilidad total y real después de impuestos.

━━

Los mercados alcistas nacen en el pesimismo, crecen en el escepticismo, maduran en el optimismo y mueren en la euforia.

━━

Esta vez es diferente. Es una de las frases que más dinero ha hecho perder en la historia.

━━

Muchos inversores se centran en las perspectivas y las tendencias. En los mercados bursátiles, el único modo de conseguir una ganga es comprar lo que la mayoría de los inversores está vendiendo.

━━

Si busca en todo el mundo, encontrará más y mejores oportunidades. Además, disminuirá su riesgo gracias a la diversificación. El único inversor que no debería diversificar es aquel que acierta el ciento por ciento de las veces.

━━

Tanto los mercados alcistas como los bajistas son temporales. El precio de los activos vuelve a subir de uno a dos meses después de haber tocado su mínimo y viceversa.

—

Un inversor que tiene todas las respuestas ni siquiera entiende las preguntas.

158. TEPPER, DAVID

David Tepper (n. Pitts-
burgh, Pennsylvania, 11
de septiembre de 1957).
Exitoso gestor de *hedge
funds*. Fundador y gestor
del *hedge fund* Appaloosa
Management, tras casi
ocho años en Goldman
Sachs; donde su especiali-
dad de inversión eran las empresas en dificultades.

El historial de su gestión en Appaloosa es muy bueno, con sólo tres años de pérdidas (-29 por ciento en
1998 -25 por ciento en 2002 y -27 por ciento en 2008)
y con fuertes ganancias los años siguientes: (61 por
ciento en 1999, 149 por ciento en 2003 y 132 por ciento en 2009), según cuenta el libro *The Alpha Masters*.

Su fortuna asciende a 11.600 millones de dólares,
según *Forbes*. Con datos de 2013, era el gestor de *hedge funds* mejor pagado de Estados Unidos.

Esta empresa parece barata, aquella empresa parece
barata, pero la economía en general va mal. La clave
está en la espera. A veces lo más difícil es no hacer nada.

—

Hay un tiempo para hacer dinero y un tiempo para no perderlo.

159. TERRY, CHRISTOPHER

Christopher Terry es presidente y consejero delegado de iMarketsLive. Inició su trayectoria profesional como constructor. En 1995 comenzó a hacer trading con materias primas y en sólo tres años dejó su rentable negocio de construcción para dedicarse a la inversión. Fue alumno y posteriormente socio de Linda Raschke, reputada profesional de los mercados. Educador en futuros, divisas y mercado de acciones y conferenciante de éxito, ha viajado extensamente por Estados Unidos, Europa, Asia y América del Sur, hablando del enfoque psicológico para el éxito y de cómo lograr independencia financiera. En los últimos años se ha centrado en hablar y formar a traders en análisis técnico.

No hay gran recompensa sin riesgo, tiempo y esfuerzo.

160. THALER, RICHARD H.

Richard H. Thaler (East Orange, Nueva Jersey, 12 de septiembre de 1945) es un economista estadounidense. Se graduó por la Universidad de Case Western Reserve en 1967. Actualmente, ejerce la docencia en la Escuela de Negocios Booth de la Universidad de Chicago y colabora con el National Bureau of Economic Research (NBER).

Los acontecimientos pasados condicionan la toma de decisiones con riesgo. Una operación ganadora estimula la búsqueda de riesgo y viceversa. Nosotros llamamos a esto *house money effect* [«efecto dinero de la casa»] debido a que los jugadores de casino se refieren al dinero que han ganado como el «dinero de la casa».

Tenemos la costumbre de sobreestimar lo que sabemos. Un claro ejemplo de ello lo tenemos en el mercado de acciones. Compramos y vendemos en exceso, creyendo tener toda la información necesaria. Esto explica una de las grandes anomalías de las bolsas. Cuanto más invertimos en los mercados, más nos equivocamos. Un detalle interesante es que las mujeres se sienten menos seguras. Así, invierten menos, pero también se equivocan menos.

161. THARP, VAN K.

Van K. Tharp, fundador y presidente del Instituto Van Tharp, es un conocido trader, *coach* y entrenador de inversores. Es autor de varios libros, entre los que destacan *Trading Beyond the Matrix: The Red Pill For Traders* y *Tener éxito en trading*.

Bajo ningún concepto voy a controlar el mercado, así que tendré que conformarme con poder controlarme a mí mismo.

———

Haga una lista de todas las cosas que pueden ir mal y determine cómo va a responder ante estos problemas. Ésta será la clave de su éxito; saber cómo vamos a responder ante lo inesperado.

———

Los buenos traders suelen ganar dinero sólo en la mitad de sus operaciones. Si usted no acepta las pérdidas, no es probable que esté dispuesto a abandonar una posición cuando sepa que se ha equivocado.

———

Uno de los secretos del éxito en el trading es encontrar un sistema que se ajuste a uno mismo.

———

La mayoría de los profesionales de los mercados consigue el éxito controlando el riesgo. Controlar el riesgo va en contra de nuestras tendencias naturales. El control del riesgo requiere un tremendo control interno.

———

La gestión monetaria, que es la clave para el éxito en el trading y la inversión, es, simplemente, el algoritmo que nos dice «cuánto» respecto a cualquier posición que tengamos en el mercado.

———

Si se pregunta al operador medio: «¿Cómo saldrá de una mala operación cuando se pone realmente mal para usted?», veremos que no tiene ni idea sobre la cuestión. La mayor parte de la gente no se protege lo suficiente. Y lo que es peor, opera a niveles demasiado elevados para sus posibilidades.

———

Si, como inversor, usted sigue a los demás, podría ganar dinero durante algunos períodos pero, a la larga, lo perderá. Los inversores ganan dinero pensando de forma independiente, siendo únicos.

—

Para aceptar tanto lo positivo como lo negativo, es necesario que encuentre ese sitio especial en usted mismo en el cual pueda, simplemente, existir. Desde ese punto de vista, las pérdidas y las ganancias serán ambas una parte del trading.

—

La gente gana dinero en el mercado encontrándose a sí misma, alcanzando su potencial y poniéndose a tono con el mercado.

—

El *stop* de protección es la parte de un sistema que le indica que debe salir de una operación para proteger el capital. Es una parte vital del sistema.

—

La determinación del tamaño de la posición es la parte más importante de cualquier sistema porque, si tiene una buena esperanza de beneficio, entonces la mayor parte de las ganancias vendrán de la determinación del tamaño de la posición.

—

Nos creamos nuestras propias opiniones sobre el mercado, y en cuanto nos hacemos una opinión sobre las mismas, difícilmente cambiamos de opinión. Y cuando operamos en los mercados, suponemos que estamos considerando toda la información disponible. Y, no obstante, nuestras creencias, a través de una percepción selectiva, pueden haber eliminado la mayor parte de la información útil.

———

La gente no se da cuenta de que el tamaño de la posición y las estrategias de salida son una parte esencial del trading. En consecuencia, arriesgan una parte excesiva de su capital en una operación determinada.

———

Nuestra sociedad y los mercados financieros actuales están estructurados para que nuestra primera reacción sea culpar a otros de lo que nos sucede: el mercado me hizo esto, el bróker fue el culpable, alguien se ha encargado de hacerme esto. Cuando atribuimos nuestras desgracias a los demás corremos el riesgo de no darnos cuenta del error cometido, con lo que volvemos a caer una y otra vez.

———

Los grandes traders tienden a operar de una manera inconsciente en el sentido de que todo lo que hacen es automático. No tienen que pensar en lo que están haciendo. Todo lo que las personas hacemos bien, lo hacemos de forma automática: conducir, caminar, hablar, etc., y el trading no va a ser una excepción. Muchos traders creen que tienen un conocimiento intuitivo sobre los mercados cuando operan y la verdad es que no saben lo que están haciendo.

———

La mayoría de inversores piensan que los mercados financieros son entes vivos que crean víctimas. Si usted cree esta afirmación, entonces será verdadera para usted. Lo cierto es que los mercados no crean víctimas; son los propios inversores los que se convierten en sus víctimas.

———

La gente que tiene un gran conflicto interno, como aquellos que invierten cegados por la codicia y la excitación, acaban siendo perdedores. Los comportamientos que producen excitación no son necesariamente los mismos que nos llevan a ganar dinero de forma constante.

———

La fuente de la búsqueda del Grial está en nosotros mismos. Debemos asumir la responsabilidad total de lo que hacemos y de lo que nos ocurre.

———

El éxito en la inversión requiere control interno más que cualquier otro factor. Éste es el primer paso hacia el éxito en el trading. Aquellos que se dedican a desarrollar ese control son los que, al final, triunfan.

———

Intentamos encontrar un orden en el mercado y razones para todo lo que ocurre. Este intento de encontrar un orden tiende a bloquear nuestra capacidad de dejarnos llevar por el flujo del mercado porque siempre vemos lo que esperamos ver, en vez de lo que realmente está ocurriendo.

162. THORP, EDWARD O.

Edward Oakley Thorp (n. 14 de agosto de 1932) graduado en Física y doctorado en Matemáticas por la Universidad de California en Los Ángeles (UCLA) en 1958, es autor del best seller *Beat the Dealer: A Winning Strategy for the Game of Twenty-One*, una estrategia ganadora para el Blackjack. Sus fondos y cartera personal han sido rentables durante más de cuarenta años. Autor de otras obras, como *Probabilidad primaria* (1966) o *Las matemáticas de juegos de azar* (1984), ha sido profesor en UCLA, el Instituto Tecnológico de Massachusetts (MIT), la Universidad Estatal de Nuevo México y la Universidad de California en Irvine.

El principal problema de los jugadores está en encontrar un juego con expectativa positiva y en aprender a gestionar el tamaño de sus apuestas, es decir, utilizar la gestión monetaria. En los mercados financieros el problema es similar, pero más complejo. El jugador, denominado inversor, busca maximizar la relación rentabilidad-riesgo.

163. TILKIN, GARY L.

Gary L. Tilkin es un veterano trader con más de treinta años de experiencia en trading de futuros y divisas. Comenzó su carrera en Merrill Lynch y posteriormente, en 1997, fundó Global Forex Trading, Ltd., donde actualmente ejerce como presidente y consejero delegado.

De los pocos traders de éxito que conozco y sobre aquellos que he leído, no fue nunca su sistema de trading lo que les hizo ser ganadores en primera instancia; el factor que une a todos estos traders de éxito lo tenemos que buscar en la disciplina. En el negocio inmobiliario se dice que los tres conceptos más importantes del éxito son: localización, localización y localización; en el negocio del trading estos tres principios serían: disciplina, disciplina y disciplina.

164. TROUT, MONROE

Monroe Trout (n. 22 de enero de 1962). Gestor de *hedge funds*, especialista en futuros, opciones y materias primas, inició su carrera, a los diecisiete años como operador de futuros y opciones en una pequeña firma de valores. Ganó un promedio del 67 por ciento durante cinco años seguidos, en los que experimentó ganancias en el 87 por ciento de los meses y sólo tuvo, en ese período, un retroceso máximo sobre sus anteriores máximas ganancias del 8 por ciento. Obtuvo como gestor en Trout Trading Fund una rentabilidad media anual del 21,5 por ciento, sin sufrir ni un solo año de pérdidas. A los cuarenta años se retiró de la negociación activa con un patrimonio neto de más de 900 millones de dólares.

Al inicio de cada mes determino el máximo tamaño de la posición que estoy dispuesto a tomar en cada mercado, y no excedo ese límite, independientemente de cómo de alcista o bajista esté el mercado.Esta regla me mantiene en jaque.

—

El mercado no es un ente personal. No trata de cazarme. Trato de controlar mi agresividad, ya que para ser un buen trader es muy importante ser racional y mantener las emociones bajo control. He tratado durante años de deshacerme de la ira cuando pierdo dinero, y he llegado a la conclusión de que me es imposible. Puedo trabajar hacia ese objetivo, pero hasta el día que me muera no creo que vaya a ser capaz de ver una gran pérdida y no enojarme.

—

Si tiene un sistema que gana dinero, la gestión monetaria (*money management*) le mostrará la diferencia entre el éxito y el fracaso. Yo en mi trading trato de ser conservador con la gestión del riesgo. De este modo me aseguro de que mañana podré estar en el mercado. El control del riesgo resulta esencial.

—

Los mercados claramente no son un paseo aleatorio. Los mercados no son eficientes porque incluso esa suposición implica que no se puede hacer un retorno superior a la media. Dado que algunas personas pueden hacer eso, no estoy de acuerdo con la suposición.

—

Aprendí lo rápido que puedes perder dinero si no sabes lo que estás haciendo.

165. TUDOR JONES, PAUL

Paul Tudor Jones II (n. Memphis, Tennessee, 28 de septiembre de 1954). Se inició como trader independiente en el New York Cotton Exchange. En 1983 lanzó su propio fondo de futuros, Tudor Investment Corporation. En 2015 la revista *Forbes* lo situaba en el número 118 de la lista de los más ricos de Estados Unidos, con una fortuna estimada de 4.700 millones de dólares.

Adáptate, evoluciona, compite o muere.

—

¿Por qué arriesgar todo en una única operación? ¿Por qué no convertir la vida en una búsqueda de la felicidad en vez de una búsqueda de dolor? Ésa fue la primera vez que decidí que tenía que aprender disciplina y gestión del dinero.

—

El control del riesgo es la parte más importante del trading. Si usted tiene una posición perdedora que le resulta incómoda, la solución es muy simple: ¡Fuera!, porque siempre se puede volver a entrar.

———

No sea un héroe. No tenga ego. Cuestiónese siempre a sí mismo y sus habilidades. Nunca piense que es demasiado bueno. En el mismo instante en que lo piense, será un hombre muerto.

———

El secreto para tener éxito en el trading es tener una infatigable y eterna sed insaciable de información y conocimiento.

———

Paso el día intentando relajarme y ser feliz. Si mis posiciones son perdedoras, intento salir de ellas. Si son ganadoras, las mantengo.

———

Creo que uno de mis puntos fuertes es que concibo todo lo que me ha ocurrido hasta este momento como historia. Realmente no me importa el error que he cometido hace tres segundos en el mercado. Lo que me preocupa es lo que voy a hacer en el siguiente momento.

———

Yo creo que el mayor dinero se hace en los giros del mercado. Todo el mundo dice que saldrás mal parado tratando de tomar techos y suelos y que todo el dinero se hace en medio de las tendencias. Pues bien, durante doce años he estado perdiendo la carne del medio pero he hecho un montón de dinero en los suelos y techos.

———

Todo el mundo dice que vas a ser destruido si intentas coger todos los máximos y los mínimos del mercado y que haces el gran dinero en la tendencia en el medio. Bueno, por doce años normalmente me he perdido buena parte de la fiesta en el medio y he sido capaz de coger muy buenos máximos y mínimos del mercado.

———

Cuando me metí en el trading, había tan poca información sobre los fundamentos... y la poca que se podía obtener era en gran medida imperfecta. Nos enterábamos sólo con el gráfico. ¿Por qué trabajar cuando el señor Mercado lo puede hacer por usted?

———

Disminuya su volumen de negociación cuando esté operando mal; aumente su volumen cuando esté operando bien. Nunca haga trading en situaciones donde no tenga el control.

———

El trading es muy competitivo y tienes que ser capaz
de gestionar cuando te pateen el culo.

—

Todos los días asumo que mis posiciones son erróneas.

—

Ahora intento pasar mi día intentando estar tan feliz y
relajado como me sea posible. Si tengo posiciones en
el mercado que van contra mis intereses, directamente
salgo de ellas. Si van a mi favor, las mantengo.

166. TVERSKY, AMOS

Amos Nathan Tversky (n. Haifa, Israel, 16 de marzo de 1937-† Stanford, California, 2 de junio de 1996). Psicólogo israelí, junto con Daniel Kahneman desarrolló la teoría de las perspectivas. Considerado uno de los principales expertos del mundo en el juicio y la toma de decisiones humanas, no sólo revolucionó la psicología cognitiva sino también la economía.

Una persona que no se encuentra satisfecha con sus pérdidas, está dispuesta a aceptar nuevas apuestas que no hubiera aceptado de otro modo.

▬

La perspectiva de la ganancia no justifica el dolor de la pérdida.

▬

Es aterrador pensar que puede que no sepas algo, pero es mucho más aterrador pensar que el mundo está dirigido por gente que cree que sabe perfectamente lo que está pasando.

—

La gente usa aproximaciones mentales para entender un mundo incierto. Como resultado de ello, cometemos ciertos errores de juicio.

167. TWAIN, MARK

Samuel Langhorne Clemens, conocido por el seudónimo de Mark Twain (n. Florida, Missouri, 30 de noviembre de 1835-† Redding, Connecticut, 21 de abril de 1910), fue un popular escritor, orador, periodista, humorista y aventurero estadounidense. Escribió obras de gran éxito como *El príncipe y el mendigo* o *Un yanqui en la corte del rey Arturo*, pero es conocido sobre todo por *Las aventuras de Tom Sawyer* y *Las aventuras de Huckleberry Finn*.

Octubre es uno de los meses particularmente peligrosos para especular en la Bolsa. Los otros meses peligrosos son julio, enero, septiembre, abril, noviembre, mayo, marzo, junio, diciembre, agosto y febrero.

—

Hay dos momentos en la vida de un hombre en los que no debe especular: cuando no se lo puede permitir y cuando puede.

—

Cada vez que se encuentre usted del lado de la mayoría, es tiempo de hacer una pausa y reflexionar.

▬

El secreto para progresar es empezar por algún lugar. El secreto para empezar por algún lugar es fragmentar tus complejas y abrumadoras tareas, de tal manera que queden convertidas en pequeñas tareas que puedas realizar y entonces simplemente comenzar por la primera.

▬

Es fácil ganar dinero en Wall Street. Lo que hay que hacer es comprar cuando el precio esté bajo; en cuanto suba, vender y obtener beneficio.

▬

En ocasiones un puñado de ruidosos estarán en lo cierto y en otras estarán equivocados; independientemente de su acierto, la multitud los seguirá.

▬

Es mejor tener viejos diamantes de segunda mano que ninguno en absoluto.

▬

El coraje es la resistencia y el control del miedo, no la ausencia de miedo.

▬

Un banquero es un señor que nos presta un paraguas cuando hace sol y nos lo exige cuando empieza a llover.

━━━

No hay nada que la instrucción no pueda conseguir. Nada está fuera de su alcance. Puede convertir la inmoralidad en moralidad; puede destruir unos principios negativos y recrear unos principios positivos; puede elevar a los hombres a la categoría de ángeles.

168. TZU, SUN

Sun Tzu (544 a.C.-496 a.C.) fue un estratega militar, filósofo taoísta y general de la antigua China. Se le considera el autor de *El arte de la guerra* (también conocido como *Los 13 capítulos*), un influyente tratado chino sobre estrategia militar.

Si no conocéis al enemigo pero sí a vosotros mismos, vuestras posibilidades de vencer serán iguales a la posibilidad de ser vencidos.

—

En todas las guerras, las estrategias son fundamentales.

—

Quien es prudente, está preparado y observa atento los movimientos del enemigo, temerario y no preparado, saldrá victorioso.

—

Sólo evaluándolo todo con exactitud es posible vencer,
con valoraciones ingenuas se pierde.

———

Si te conoces a ti mismo y conoces al enemigo, ni en
cien batallas correrás peligro.

169. VELEZ, OLIVER

Oliver L. Velez, autor best seller internacional, trader de renombre mundial, asesor y empresario, es uno de los conferenciantes y maestros más conocidos del *day trading*. Fundó su primera empresa, Pristine Capital Holdings, en su apartamento en Nueva York, convirtiéndola en una de las instituciones educativas para inversores más importantes de Estados Unidos. Decenas de millones de traders de todo el mundo han asistido a sus seminarios y charlas. Sus libros más vendidos, *Strategies for Profiting on Every Trade* y *Tools and Tactics of the Master Day Trader*, se consideran clásicos y de lectura obligada para cualquier persona interesada en los mercados.

La experiencia demuestra que antes de que cualquier persona pueda alcanzar cierto grado de éxito en la Bolsa, debe primero aprender a dominar sus emociones, a dominarse a sí mismo. Yo considero que muchos traders fallan en no admitir lo complicado que es prepararse psicológicamente para poder controlar el miedo y la ambición.

Considero que todo trader debería de tener un mecanismo que lo obligue a ser disciplinado. La disciplina se aprende y se gana, no es algo innato en la persona. Mientras ésta se logra es necesario contar con un software que ayude en este proceso.

Me di cuenta desde una perspectiva técnica de que los gráficos dicen la verdad, no mienten. Los gráficos nunca están equivocados.

170. VINCE, RALPH

Ralph Vince es programador informático. Ha realizado programas de trading para fondos y traders profesionales. Es el creador del sistema Optimal F, que determina el capital máximo a utilizar en cada operación en base al histórico de operaciones ejecutadas. Es autor de varios libros sobre inversión, gestión y optimización de cartera, entre ellos *Risk-Opportunity Analysis* y *The Mathematics of Money Management: Risk Analysis Techniques for Traders*.

La optimización no es nuestro enemigo, el abuso de la misma o sobreoptimización sí.

—

Una posición ganadora se puede convertir en una posición perdedora por el mero hecho de no saber qué tamaño apostar en cada operación.

171. WANGER, RALPH

Ralph Wanger comenzó su carrera como inversor en 1960 en Chicago, en Harris Associates. Trabajó como analista de valores y gestor de cartera hasta la formación de Acorn Fund en 1977, del que pasó a ser administrador de carteras y presidente. Ocupó el cargo hasta su jubilación, en 2003. Durante su carrera como presidente de Acorn Fund logró una rentabilidad anualizada del 16,3 por ciento, frente al 12,1 por ciento del índice S&P500 durante el mismo período.

Un espacio atractivo para la inversión debe tener unas características favorables que deberían durar cinco años o más.

—

Las cebras tienen los mismos problemas que los gestores institucionales: (1) buscan la hierba más fresca, esto es, la que está en los pastos que no han sido tocados todavía por el resto de la manada, al igual que el gestor busca rentabilidades por encima de la media; (2) ambos tienen aversión al riesgo, el gestor para evitar ser despedido y la cebra para no convertirse en la cena de los leones, y (3) ambos se mueven siguiendo un instinto de manada.

172. WEINMANN, DENNIS

Dennis Weinmann es el director y cofundador, junto con John Vassallo en 1990, de Coquest Energy Services Inc., una firma consultora certificada de futuros de materias primas para corporaciones multinacionales, bancos institucionales, compañías petroleras, empresas de servicios y vendedores de energía. En 2014 compró Mega Capital, LLC, convirtiéndose en uno de los mayores brókers independientes especialistas en mercados de energía.

Mantendré mis posiciones durante tiempo indefinido, siempre que esté en la posición correcta. La mayoría de los amateurs cierran sus posiciones ganadoras porque tienen miedo a que desaparezcan las ganancias.

———

El mayor problema de los novatos es la forma en la que evalúan sus resultados, basándose exclusivamente en el número de operaciones ganadoras y el número de perdedoras.

173. WEINSTEIN, MARK

Mark Weinstein es analista técnico y day trader e inversor de corto plazo. En sus inicios y sin conocimientos, invirtió muy rápidamente y acabó perdiéndolo todo. Después de este fracaso, reunió 20.000 dólares y estudió muy seriamente los mercados, desarrollando una metodología rigurosa basada en el análisis técnico. Tres años después había ganado su primer millón de dólares, obteniendo un rendimiento de un 5.000 por ciento. Durante un concurso de trading que duró tres meses, convirtió 100.000 dólares en 900.000 dólares.

Tu estrategia ha de ser lo suficientemente flexible como para cambiar cuando el entorno cambia. El error que comete mucha gente es mantener la misma estrategia todo el tiempo.

—

No seas arrogante. Si eres arrogante, dejarás de controlar el riesgo. Los mejores traders son los más humildes.

—

Aunque viendo los mercados como no aleatorios en el largo plazo, siempre he creído que en el muy corto las fluctuaciones del mercado eran en gran parte aleatorias.

—

Limite las pérdidas, rápidamente. Parafraseando *Recuerdos de un operador de acciones*, la mayoría de los traders se aferran a sus pérdidas demasiado tiempo, con la esperanza de que la pérdida no se haga más grande. Además, toman beneficios demasiado pronto, por el miedo a que disminuyan sus beneficios. En lugar de esto, los traders deberían temer a una mayor pérdida en las operaciones malas y tener esperanza en alcanzar un mayor beneficio en las operaciones favorables.

—

Tiene que aprender a perder; es más importante que aprender a ganar.

—

Aunque el guepardo es el animal más rápido del mundo y puede apresar a cualquier animal en las llanuras, esperará hasta que esté absolutamente seguro de que puede atrapar a su presa. Se puede ocultar en el monte por una semana, esperando el momento justo. Esperará a que aparezca un bebé antílope, preferiblemente uno que esté enfermo o cojo. Sólo entonces, cuando no hay posibilidad de que pueda perder su presa, ira al ataque. Eso, para mí, es el resumen del trader profesional.

174. WEINSTEIN, STAN

Stan Weinstein es experto en finanzas. Creó y dirige la firma Global Trend Alert en Florida, donde ofrece un servicio de asesoría financiera para inversores. Colaborador habitual en cadenzas de television como la CNN y la CNBC, es autor de un único y exitoso libro, *Los secretos para ganar dinero con los mercados alcistas y bajistas* (1988).

El pánico provoca que vendas en mínimos, y la codicia provoca que compres cerca de máximos.

—

Revise los indicadores de mercado para conocer la dirección global.

—

La lección número 1 es ¡Consistencia! Durante veinticinco años he tenido consistencia en mi enfoque y en mi disciplina. No sea fundamental una semana y grafista la siguiente. No siga el indicador A durante un mes y se pase al indicador B al mes siguiente. Halle un buen método, sea disciplinado y aférrese a él.

———

No adivine las formaciones de suelo. Aprenda la importante lección que dice que es mejor llegar tarde y comprar en la etapa 2, que tomar un valor que parece barato pero será un 40 o un 50 por ciento más barato en la etapa 4.

———

Creo que es importante que todo el mundo aprenda a utilizar las órdenes *stop loss*, pero bien colocadas.

———

Si confía en los consejos de los «expertos» de Wall Street, los corredores y los analistas, no llegará muy lejos.

———

La sabiduría convencional dice que mientras no venda el valor, no ha tomado ninguna pérdida; tan sólo se trata de una pérdida en papel. ¡Eso es ridículo!, su título tiene tan sólo el valor que marca la última cotización.

———

El mercado de valores hará lo que sea necesario para evitar que la mayoría gane dinero, mientras recompensa ampliamente a la astuta minoría profesional.

———

Analice los grupos para saber en cuál debe invertir.

———

Antes de colocar una orden de compra, asegúrese de conocer el lugar en el cual va a colocar el *stop* de protección de venta. Si está demasiado lejos del precio de compra, busque una nueva compra o espere a comprar el valor cuando se forme un nivel de *stop* más seguro. En el caso de la venta a corto se debe aplicar el criterio opuesto.

———

Desafortunadamente, muchos inversores caen en la trampa del análisis fundamental. Primero se aferran porque era una buena compañía, o eso es lo que creían. Cuando se dieron cuenta de que se habían metido en problemas, se decidieron a salir sin pérdidas en la siguiente recuperación. Esto es, como poco, masoquismo mercantil.

———

Para obtener señales importantes yo prefiero investigar la prensa financiera. Los titulares de los periódicos y de las revistas no pretenden ser un indicador, pero lo son. Ellos intentan vender periódicos, por lo tanto, lo que quieren es dar en el clavo. Si sienten que el público está asustado, recurren al temor, mientras que en tiempos alcistas lo que podemos ver es un gran torrente de titulares optimistas.

———

Cuando todo el mundo sabe algo, no merece la pena saberlo.

———

¡Comprar bajo y vender alto! Éste es el resumen de la palabra fortuna, ¿verdad? ¡Pues no! Es sólo uno de los clichés causantes de pérdidas, que la multitud tararea cuando pierde dinero año tras año. El enfoque profesional consiste en comprar alto y vender más alto todavía.

———

Haga como todos los profesionales, promedie a favor, no en contra de su posición. Cuando la actuación del mercado les muestra que están en buena situación, siguen acumulando, pero no cuando el mercado les muestra que estaban equivocados.

———

Nunca mantenga un valor a corto, o a largo, sin un *stop* de protección.

———

Siempre tomará decisiones de forma natural, lo que le proporcionará paz mental y desde luego mejorará su media de beneficios.

175. WILDER, J. WELLES JR.

J. Welles Wilder Jr. es el creador de varios de los indicadores técnicos más utilizados en el mundo. Aunque se formó como ingeniero, pronto descubrió su pasión por los mercados y por el análisis técnico. Ha escrito números artículos sobre trading y ha impartido conferencias por varios continentes. Entre los indicadores que inventó destacan: Average True Range, Relative Strength Index (RSI), Average Directional Index (ADX), The Directional Movement Index (DMI) y el Parabólico SAR. Es autor de tres libros: *New Concepts in Technical Trading Systems*, *The Adam Theory of Markets* y *The Delta Phenomenon or The Hidden Order in All Markets*.

Hay cuatro grandes categorías de cierres de posición: (1) salidas que minimizan la pérdida inicial, (2) salidas que maximizan los beneficios, (3) salidas que minimizan los beneficios que tenemos que devolver al mercado y (4) salidas psicológicas.

La mayor parte de los planes técnicos de operación tienen dos partes: (1) un sistema de operación técnico y (2) una técnica de administración de capital.

—

He aprendido que para hacer dinero en los mercados financieros no es imprescindible tener un sistema mecánico. Los sistemas de trading mecánicos funcionan, pero la base del éxito está en otra parte. Lo puede llamar usted sabiduría o gestión monetaria. La mayoría de la gente no quiere hablar de la gestión monetaria, prefiere hablar sobre los grandes sistemas de trading.

—

La mayoría de los sistemas utilizados para el trading son seguidores de tendencia; sin embargo, la mayoría de futuros y *commodities* están en un movimiento tendencial claro sólo el 30 por ciento de las veces. Si el trader sigue estos sistemas debe estar preparado para ganar dinero el 30 por ciento de las operaciones y perderlo en el resto.

176. WILLIAMS, BILL

Bill M. Williams (1928) es un extrader estadounidense, fundador de Profitunity Trading Group, formador y autor de varios libros de trading, entre ellos *Trading Chaos* y *New Trading*.

Como trader acumuló más de cincuenta años de experiencia en los mercados y más de veinticinco como formador.

Se puede vivir de los mercados, como de cualquier otra cosa, pero hay que tener la predisposición para hacer el sacrificio que corresponda, de acuerdo con la importancia que el tema nos merezca.

—

Nadie puede decir cuándo los precios alcanzarán su máximo o hasta dónde caerán. Los traders no pueden predecir el futuro de ninguna forma confiable. Por cada ejemplo de una inversión pronosticada que se hizo realidad, puedo señalar cuatro o cinco que no lo hicieron y en algunos casos puede haber venido del mismo pronosticador.

—

Tener un sistema de trading que funciona y no contar con una buena gestión del riesgo es abrir una grave herida a la cuenta, y en el momento menos oportuno ser desplumado por el mercado y continuar viendo el «partido» por televisión.

—

Todas nuestras frustraciones y pérdidas vienen de una fuente. Tuvimos expectativas que no fueron satisfechas. Cuando queremos lo que el mercado quiere, no tenemos frustraciones. Alineando nuestra estructura subyacente con la del mercado, no hay expectativas no cumplidas.

—

Ser un buen trader significa practicar, practicar y practicar un poco más siempre. Recuerde que la práctica hace al maestro.

—

Cuando tenemos valores al alza, el ego se manifiesta halagándonos para que tomemos los beneficios inmediatamente. ¿Por qué no actuó de la misma manera con los títulos que bajaban? El ego nos fuerza a deshacernos de aquéllos inmediatamente, porque necesita la gratificación inmediata de demostrar que tiene razón. Le encanta tener razón y se niega a admitir que puede equivocarse.

—

Ser un «gran» trader no sólo requiere recompensas monetarias, sino también que disfrute de la vida del trading. Si es muy adicto a la pantalla o invierte dieciséis horas al día operando, usted no es exitoso, no importa cuánto dinero esté tomando del mercado.

—

Los mercados cambian, siempre aparecen nuevas oportunidades, mientras que las viejas desaparecen. Los buenos traders conocen el éxito, pero saben de él porque han tomado su trabajo seriamente y se capacitan día a día para ser mejores.

177. WILLIAMS, LARRY

Larry Williams (n. 6 de octubre de 1942) es uno de los traders más conocidos y exitosos del mundo, con más de cinco décadas de trayectoria profesional en los mercados. En 1987 ganó el mundial de trading de futuros de la compañía Robbins Trading convirtiendo un capital inicial de 10.000 dólares en 1,1 millones durante los doce meses del concurso. Diez años después su hija, Michelle Williams, aplicando sus mismas técnicas ganó el mismo concurso. Ha creado diferentes indicadores, como el Williams %R o el Ultimate Oscillator, Acumulación/Distribución, los índices COT (Commitments of Traders) y es autor de once libros que han sido traducidos a una decena de idiomas.

Olvídese de operar con las medias móviles. Mi experiencia es que no funcionan. Supongo que lo que todos los seguidores de la teoría del paseo aleatorio utilizaron, para verificar que se puede ganar dinero con unas reglas de trading, fueron medias móviles.

Siempre me han atraído los retos y me gusta saber que tras un día de trabajo me voy a casa sin ninguna posición abierta. Me puedo permitir esto gracias a mis diecisiete años de experiencia acumulada en los mercados. Sin embargo, acabo exhausto al final de la jornada y por ambas razones no recomiendo el day trading para el inversor medio.

178. WILLIAMS, TOM

Tom Williams es un extrader y formador, discípulo de Richard D. Wyckoff y sus teorías sobre el análisis del volumen. A partir del trabajo iniciado por Wyckoff en el estudio de la importancia entre la diferencia de precios y su relación con el volumen, desarrolló su propia metodología, más potente, el Volume Spread Analysis (VSA), que publicó en su libro *Master the Markets* (1993).

En los últimos treinta años, Williams ha estado aplicando sus metodologías a los valores bursátiles, divisas y mercados de futuros. Es el fundador de tradeguider.com

El primer secreto que debemos aprender es que en especulación (como opuesto a la inversión) debemos olvidarnos del valor intrínseco de las acciones o de cualquier otro instrumento.

El volumen es el indicador más importante para los operadores profesionales. Analizar un gráfico sin el dato del volumen es como que te den un coche sin depósito de gasolina.

———

Todos los mercados están diseñados para que perdamos dinero. Por eso los mercados oscilan arriba y abajo sin ninguna tendencia constante, poniendo a todos sus participantes bajo algún tipo de presión. Los mercados, por su propia naturaleza, tienden a funcionar de una forma siniestra para hacer negocio; de no ser así, todo el mundo ganaría.

———

El volumen es el suministrador de energía del mercado. Si empezamos a entender el mercado empezaremos a operar a partir de hechos (no a partir de noticias).

———

Los operadores profesionales se aíslan del rebaño y están entrenados para convertirse en unos verdaderos depredadores en pos de sus víctimas. Comprenden y reconocen los principios que dirigen el mercado y evitan ser manejados por las buenas o malas noticias, consejos, avisos, indicaciones de brókers y amigos bien intencionados. Cuando el mercado es sacudido por malas noticias ellos están comprando; cuando el rebaño está comprando influido por las buenas noticias, ellos están vendiendo.

———

Los operadores profesionales experimentados entienden el volumen en relación con el movimiento del precio, y entienden la psicología humana. Saben que los operadores están controlados en gran medida por dos miedos: el miedo de verse excluidos de los mercados y el miedo a las pérdidas.

—

Por naturaleza, el mercado de valores está diseñado para que usted pierda dinero. Las manifestaciones y reacciones dentro de cualquier tendencia garantizan este proceso, es una actividad constante. Se crea automáticamente. El mercado se comporta de esta forma porque tiene que hacerlo. Los «débiles» tienen que «morir» para que los fuertes sobrevivan. Los «profesionales» son plenamente conscientes de las debilidades de los operadores sometidos a estrés y lo aprovecharán en cada oportunidad.

179. WRIGHT, CHARLIE F.

Charlie F. Wright es un empresario e inversor estadounidense, autor del libro *Trading as a Business*, publicado en 1998. Durante la década de 1980 fue miembro de la OIM de la Bolsa Mercantil de Chicago. Ha impartido numerosos seminarios y ha desempeñado numerosos cargos en distintas empresas norteamericanas. Desde 1991 es presidente y copropietario de Quaestus & Co. Inc, una firma de capital riesgo con sede en Milwaukee. En 2012 se unió a la junta directiva de TMM Inc y es copresidente de Fall River Group, Inc.

En vez de intentar predecir cuándo se producirá el siguiente gran movimiento, tu trabajo como trader se debe centrar en reducir las pérdidas durante los períodos de mercado sin tendencia, mientras esperas a que llegue el gran movimiento.

Su objetivo es ser un experto en un indicador concreto. La mayoría de la gente dedica demasiado tiempo al proceso de búsqueda del mejor indicador. Cuando el que tenían deja de funcionar durante un tiempo, empiezan a buscar otro. Debe evitar caer en esta trampa; seleccione un indicador del que conozca el tipo de acción de mercado que está intentando capturar y asegúrese de que se encuentra cómodo con su funcionamiento.

———

En vez de intentar controlar el mercado deja que éste te diga lo que debes hacer.

———

Me llevó mucho tiempo darme cuenta de que en realidad nadie entiende por qué el mercado hace lo que hace o hacia dónde va. Es una ilusión pensar que usted o cualquiera puede saber hacia dónde va el mercado.

———

Si usted hace trading, le garantizo que tendrá operaciones con pérdidas. Aprenda a gestionar sus pérdidas. De ahora en adelante va a tener que convivir con ellas, así que conviene familiarizarse.

———

Siempre hay que contar con que vamos a tener rachas de pérdidas, que podrán ser incluso superiores a las que muestra la estadística de nuestro sistema, y eso bajo ningún concepto implica que nuestro sistema esté mal diseñado. Lo que tenemos que hacer es estar preparados para las rachas de pérdidas desde el momento en que decidamos operar con el sistema.

―

Para un trader experto las pérdidas en el mercado no son más que el coste del negocio.

―

Un gran producto en cualquier empresa no implica que vayamos a tener un gran negocio; igualmente, un buen indicador no garantiza que lleguemos a ser buenos traders.

―

Para ser un trader disciplinado, usted tiene que saber cómo y por qué entra en el mercado, el momento de salir y dónde colocar su *stop loss*.

―

El uso de las estadísticas históricas nos puede tranquilizar, sobre todo en lo relativo a las pérdidas. El conocimiento de dicha estadística nos aportará la serenidad suficiente para sobrevivir cuando estemos en un *drawdown*.

―

Nunca olvides que no tiene mucho sentido diseñar un sistema que te ofrezca unos resultados excepcionales si luego eres incapaz de operar con ese sistema debido a tus limitaciones psicológicas.

—

Siempre asumo que el mercado nunca se va a mover dos veces de la misma forma. Si los mercados fueran tan predecibles, sería muy sencillo buscar patrones de comportamiento pasados y operar con ellos. La mayoría de los traders ganaría dinero.

—

La evaluación de sistemas de trading no es un arte, sino una ciencia. Existe un procedimiento claro, con un rango definido de resultados aceptables. Toda vez que hemos definido estos límites, la evaluación debe convertirse en algo que nos tomemos de forma rutinaria. Cuando los resultados obtenidos al utilizar el sistema se alejen de estos parámetros establecidos, el sistema deberá ser revisado. La detección temprana de un mal sistema es tan importante para nuestra salud financiera a largo plazo como lo es el desarrollo del propio sistema.

—

El trading tiene dos caras muy bien diferenciadas: el desarrollo del sistema y la ejecución de las órdenes generadas por dicho sistema. Durante el horario de mercado debemos centrarnos, única y exclusivamente, en la ejecución de las órdenes.

———

Mi experiencia al desarrollar sistemas de trading me ha demostrado que la rentabilidad es inversamente proporcional a la complejidad del sistema. Manteniendo esta regla de actuación, debemos evitar los sistemas con un número excesivo de parámetros.

———

En Bolsa la única forma de garantizar que estemos dentro de cada gran movimiento es permanecer siempre en el mercado.

———

Si un sistema ha sido rentable en el pasado debería ser rentable en el futuro. Simplemente, debe darle tiempo para que muestre los beneficios.

———

El sistema de trading debería de ser evaluado y analizado por la persona que va a operar con dicho sistema.

———

He conocido y formado a muchos traders, y he observado que hay cuatro etapas diferentes en su formación: el trader discrecional, el trader técnico, el trader de sistemas iniciado y el trader de sistemas experto.

180. YASS, JEFF

Jeffrey S. Yass, exjugador profesional de póquer, es un trader de opciones, cofundador y director de Susquehanna International Group (SIG), una de las firmas financieras más lucrativas del mundo.

Es uno de los traders entrevistados por Jack D. Schwager en *The New Market Wizards. Conversations With America's Top Traders* (1992). Estudioso de las probabilidades y las estadísticas, comparó el trading con opciones con el póquer.

El concepto básico que se aplica, tanto al póquer como al trading, es que el objetivo principal no está en ganar en la mayoría de las partidas, sino en la maximización de las ganancias.

—

Aprendí más del trading de opciones jugando al póquer que en todos los estudios de economía durante la universidad.

—

Renuncia a tu ego y escucha lo que te dicen los mercados

181. YODER, BO

Bo Yoder es un trader, formador y autor reconocido internacionalmente. Colabora con RealityTrader.com, un foro para aprender métodos y técnicas de trading, y escribe para publicaciones especializadas de trading y para sitios web muy populares, entre los que destacan TheStreet.com y RealMoney.com. Es autor de *Mastering Futures Trading*, entre otros libros.

Como cualquier trader activo sabe, una vez que la operación está iniciada, el mercado hará todo lo posible por convencerte de que eres un perfecto idiota, que está haciendo la peor operación en la historia del trading.

———

Según mi experiencia, trabajando con traders la mayoría de los errores se cometen tras abrir una posición. La planificación es generalmente buena y el resultado habría sido correcto si se hubiera seguido con precisión. Los traders novatos siempre encuentran alguna excusa para salirse antes de las posiciones ganadoras y mantener las perdedoras hasta el final.

■

Las medias móviles (MAs) se encuentran entre las herramientas más sencillas y eficaces en el arsenal de cualquier trader.

■

Hay cuatro preguntas que uno debería responderse antes de abrir cualquier posición: (1) ¿Cuál es mi riesgo si esta operación va mal? (2) ¿Cuál es mi beneficio si esta operación va bien? (3) ¿El potencial de beneficio justifica el riesgo? (4)¿Qué/quién impulsará a que las acciones se muevan en la dirección que yo deseo?

■

La gestión monetaria es la habilidad que nos permite convertir las opiniones sobre el mercado en dinero. Es un proceso independiente de lo que es el trading.

182. ZALESKY, DOUGLAS E.

Douglas E. Zalesky es uno de los *funds managers* más reconocidos. Trader durante veinte años en el Chicago Board of Trade (CBOT). Licenciado en Administración de Empresas por la Universidad de Denver, aprendió y se formó como trader gracias a su tutor, David Goldberg, uno de los mejores traders del CBOT. Escribió las 25 reglas de la disciplina del trader: *25 Rules of Trading Discipline*.

Desarrolla una metodología y cíñete a ella. No cambies de método cada día.

—

Nunca permitas que una operación ganadora se vuelva perdedora.

—

El mercado te paga por ser disciplinado.

—

Reduce el tamaño de tus posiciones cuando estés operando mal.

—

Sé tú mismo, no intentes ser otra persona.

—

Tu mayor pérdida no puede ser superior a tu mayor ganancia.

183. ZANGER, DAN

Dan Zanger es un trader de acciones, especialista en chartismo, que tiene el récord mundial de revalorización anual en una cartera de acciones por porcentaje, más de un 29.000 por ciento (logrado en 1998). Estos datos fueron auditados y confirmados por una empresa independiente. En apenas dos años su cuenta de 11.000 dólares pasó a 42 millones de dólares. En diciembre de 2000 las revistas *Fortune*, *Forbes* y *Stocks&Commodities* le dedicaron artículos sobre su estilo de negociación. Dirige la web chartpattern.com.

Recuerde que se necesita volumen para mover las acciones, por lo que debería de empezar a conocer el comportamiento del volumen de sus acciones y luego ver cómo reaccionan a los picos de volumen. Puede ver esos picos en cualquier gráfico.

Venda del 20 al 30 por ciento de su posición cuando la acción se mueva de un 15 a un 20 por ciento desde su punto de *breakout*.

SOBRE LOS AUTORES

184. ALBAREDA, ALBERT

Albert Albareda es asesor jefe en Renta Variable de Bolsa General, experto en análisis cuantitativo. Desarrollador de sistemas de trading automáticos y manuales, trader y formador. Cuenta con una experiencia de diecinueve años en los mercados. Desde 2007 ayuda a miles de inversores desde su web www.bolsageneral.es, una de las webs líderes en análisis bursátil, en difusión del análisis técnico y más conocidas en España. A través de ella se han formado miles de inversores de todo el mundo con su curso online, seminarios y el Centro de Traders, donde los expertos de la firma siguen la sesión día a día con los clientes a través de un foro y chat privados, en busca de pautas de precio rentables, y se realiza una formación integral del trader.

El objetivo de Albert y del resto del equipo de profesionales de Bolsa General es hacer que la Bolsa sea accesible para todos aquellos que quieran aprender a invertir en Bolsa, aislándose del ruido y siguiendo un método de trading.

Los traders novatos siempre tienen una tendencia a creer que esto es muy sencillo y que es fácil hacer grandes ganancias en los mercados. Os aseguro que es imposible llegar a tener éxito de un día para otro. Has de poner toneladas de esfuerzo, asumir pérdidas y tener un buen sistema de trading para terminar ganando al mercado.

Para ser un trader de éxito es necesario tener confianza en ti mismo y ser muy disciplinado..., grábatelo en tu mente.

La fórmula del éxito es un sistema de trading lógico + su comprensión = confianza = disciplina.

Para ser un operador consistente y exitoso, usted debe tener una metodología de negociación definida, que es simplemente una manera clara y concisa de mirar a los mercados. Las adivinanzas o ir por instinto no van a funcionar en el largo plazo.

—

La consistencia es más importante que la cantidad de dinero que puedas ganar en un momento dado. Para un especulador los beneficios consistentes son la clave del juego. Aplicar las estrategias en una sólida gestión para alcanzar unos resultados importantes te llevará hacia el camino del éxito.

185. GALÁN, DAVID

David Galán es director de Renta Variable de Bolsa General, trader y profesor. Tiene licencia de operador de MEFF y un posgrado en Productos Financieros Derivados por la Escuela de Finanzas y BME. En la actualidad, está considerado como uno de los mejores analistas españoles. Director del Curso de Bolsa de la E.F. Business School de A Coruña, colabora con numerosos medios de comunicación, como Intereconomía, Invertia, Gestiona Radio, Capital Business Radio o *Cinco Días*, y con importantes brókers europeos como XTB o GKFX. Ha participado como experto en análisis técnico en ciclos de conferencias junto a Oliver Velez o Alexander Elder. En 2014 recibió la cátedra emérita de Ingeniería Financiera por la Universidad Piloto de Colombia, tras su participación en el VII Seminario Internacional de Mercados Financieros en Bogotá. Desde 2007 ayuda a miles de inversores a través de su web, www.bolsageneral.es.

Si no estás dispuesto a asumir el riesgo de perder un 10 por ciento cuando ganas un 20 por ciento, es imposible que ganes un 50 por ciento.

——

Hace tiempo que perdí el miedo a perder. Sólo hay que tener miedo a operar mal.

——

Uno de los principales errores es no aceptar pérdidas y eso provoca que muchos traders se arriesguen a perder un 40, un 50 o un 60 por ciento y en cambio cierran la posición en cuanto ganan un 3 o un 4 por ciento.

——

No se plantee si la Bolsa está cara o barata. Fíjese en cómo son los mínimos y máximos; si son crecientes, compre. Siga las tendencias y no pelee contra ella.

——

Muchas veces hay divergencia brutal entre el sentimiento que nos crea seguir las noticias y los gráficos. Una señal de compra con pesimismo reinante es doble señal de compra.

——

Hay dos tipos de traders, los que tienen un método y gestionan el riesgo y los que se arruinan.

——

Seguir una tendencia es seguir el rastro del dinero.

AGRADECIMIENTOS

Queremos aprovechar esta oportunidad para dar las gracias a nuestros seguidores, alumnos y clientes, que con su confianza nos ayudan a hacer posible el gran proyecto de Bolsa General.

A nuestras familias, por ser fuente de apoyo constante e incondicional en nuestras vidas.

Gracias a todos por vuestro apoyo, que nos motiva cada día para seguir mejorando.

Sin vosotros este libro nunca habría visto la luz.

Gracias.

ALBERT Y DAVID

ÍNDICE ONOMÁSTICO